ON LIQUIDE
ET ON S'EN VA

Laissez tomber la fille.
Les souris ont la peau tendre.
Mes hommages à la donzelle.
Du plomb dans les tripes.
Des dragées sans baptême.
Des clientes pour la morgue.
Descendez-le à la prochaine.
Passez-moi la Joconde.
Sérénade pour une souris défunte.
Rue des Macchabées.
Bas les pattes.
Deuil express.
J'ai bien l'honneur de vous buter
C'est mort et ça ne sait pas.
Messieurs les hommes.
Du mouron à se faire.
Le fil à couper le beurre.
Fais gaffe à tes os.
A tue... et à toi.
Ça tourne au vinaigre.
Les doigts dans le nez.
Au suivant de ces messieurs.
Des gueules d'enterrement.
Les anges se font plumer.
La tombola des voyous.
J'ai peur des mouches.
Le secret de Polichinelle.
Du poulet au menu.
Tu vas trinquer, San-Antonio.
En long, en large et en travers.
La vérité en salade.
Prenez-en de la graine.
On t'enverra du monde.
San-Antonio met le paquet.
Entre la vie et la morgue.
Tout le plaisir est pour moi.
Du sirop pour les guêpes.
Du brut pour les brutes.

J'suis comme ça.
San-Antonio renvoie la balle.
Berceuse pour Bérurier.
Ne mangez pas la consigne.
La fin des haricots.
Y'a bon, San-Antonio.
De « A » jusqu'à « Z »
San-Antonio chez les Mac.
Fleur de nave vinaigrette.
Ménage tes méninges.
Le loup habillé en grand-mère.
San-Antonio chez les « gones »
San-Antonio polka.
En peignant la girafe.
Le coup du père François.
Le gala des emplumés.
Votez Bérurier.
Bérurier au sérail.
La rate au court-bouillon.
Vas-y Béru !
Tango chinetoque.
Salut, mon pope !
Mange et tais-toi.
Faut être logique.
Y'a de l'action !
Béru contre San-Antonio.
L'archipel des Malotrus.
Zéro pour la question.
Bravo, docteur Béru.
Viva Bertaga.
Un éléphant, ça trompe.
Faut-il vous l'envelopper ?
En avant la moujik.
Ma langue au Chah.
Ça mange pas de pain.
N'en jetez plus !
Moi, vous me connaissez ?
Emballage cadeau.

Appelez-moi chérie.
T'es beau, tu sais !
Ça ne s'invente pas !
J'ai essayé on peut !
Un os dans la noce.
Les prédictions de Nostrabérus.
Mets ton doigt où j'ai mon doigt.
Si, signore.
Maman, les petits bateaux.
La vie privée de Walter Klozett.
Dis bonjour à la dame.
Concerto pour porte-jarretelles.
Sucette boulevard.
Remets ton slip, gondolier
Chérie, passe-moi tes microbes !
Une banane dans l'oreille.
Hue, dada !
Vol au-dessus d'un lit de cocu.
Si ma tante en avait.
Fais-moi des choses.
Viens avec ton cierge.
Mon culte sur la commode.

Tire-m'en deux, c'est pour offrir
A prendre ou à lécher
Baise-ball à La Baule.
Meurs pas on a du monde.
Tarte à la crème story.

Hors série

L'Histoire de France.
Le standinge.
Béru et ces dames.
Les vacances de Bérurier
Béru-Béru.
La sexualité.
Les Con.
Si « Queue-d'âne » m'était conté.
Y a-t-il un Français dans la salle ?
Les mots en épingle de San-Antonio.
Œuvres complètes

Vingt tomes déjà parus.

SAN-ANTONIO

ON LIQUIDE
ET ON S'EN VA

Roman de Première Classe
et de Politique friction

ÉDITIONS FLEUVE NOIR
6, rue Garancière - PARIS VIᵉ

© 1981, « Éditions Fleuve Noir », Paris.

ISBN 2-265-01614-4

HISTOIRE AVANT-COUREUSE

Ça commence dans un coin de Montmartre. Versant nord.

Des gens baguenaudent à la nuit frémissante. Des touristes.

M. Prince s'approche d'un petit groupe en louvoyant. Il a la frime pas catholique, la démarche chaloupée ; l'air d'en avoir beaucoup d'autres de rechange.

C'est un mec d'une cinquantaine damnée. Il a une tache de picrate en étoile sur sa face de rat. Des plaques de pelade mitent sa chevelure pelliculaire.

Il chuchote, très vite, d'un ton dont la furtivité retient l'attention :

— Méhamessieurs, si vous voulez assister à un spectac' absolument inédit, suivez-moi jusqu'à l'impasse que vous apercevez ci-jointe : M. Adolphe et Maâme Eva vont faire l'amour en public, exhibition de grand style, figures absolument neuves. Chacun donne c'qu'y veut.

Et, comme nous nous trouvons dans un haut lieu touristique, il traduit aussitôt en anglais, comme les annonces à bord des appareils Air France :

— Ladies and gentlemen, if you want to assisted...

Bon, les gens le considèrent. Perplexes. Merplexes, quand il s'agit de dames seules. Certains haussent les épaules et vont déambuler plus loin, mais il en est qui le suivent, intrigués.

M. Prince les guide alors jusqu'à l'impasse voisine, un

lieu morose, le jour, encombré des voitures à bras d'un bougnat et de vieux tonneaux disloqués. La nuit venue, l'impasse se met à exister avec force. M. Prince et ses deux acolytes (le couple Adolphe-Eva) ont tendu une vieille toile sur un fil, pour isoler le fond de l'impasse de la rue. Dans l'espace clos, ils ont déposé un mince matelas. De part et d'autre d'icelui, ils ont placé deux fortes lampes portables, à piles, aux faisceaux puissants, pourvues d'un cache rotatif qui permet de rendre la lumière verte ou rouge. M. Prince en joue, selon les péripéties de ce qu'il qualifie lui-même d'exhibition.

Ce soir, il a pu rameuter une quinzaine de personnes, très disparates, parmi lesquelles les mâles sont en forte majorité.

Bon, les spectateurs se tiennent debout, en arc de cercle. M. Prince actionne les deux « projos ». Lumière blanche pour commencer.

— Méhamessieurs, attaque-t-il, permettez-moi d'avoir le grand plaisir d'vous présenter M. Adolphe et maâme Eva.

Surgit alors de l'ombre un couple impayable. Elle, la cinquantaine dodue. Mal soignée, cheveux roux marqués de blanc. Elle a des lunettes rondes, cerclées de fausse écaille. Un nez retroussé, des yeux fanés, dans les tons gris merde. La bouche fardée très vif, en forme de violette stylisée. Lui, même âge, gringalet. S'est composé gauchement la tête de Hitler : mèche noire collée sur le front, moustache véritable, teinte. Il ressemble à quelque guichetier de sous-préfecture.

Signe particulier : tient une chaise comme un sac à main, son avant-bras étant passé sous l'arceau du dossier.

Il dépose le siège devant le matelas et fait le salut hitlérien. L'auditoire reste muet, gêné par toute cette foutriquerie.

— Méhamessieurs, reprend M. Prince, pour commencer, Maâme Eva ici présente va faire un p'tit brin d'pipe à M'sieur Adolphe. Ladies and gentlemen, Mistress Eva go to make a little pipe at Mister Adolphe. Please, Mistress

Eva, if you want well take the bibite of Mister Adolphe..
Si vous voudrez bien dégager l'outil à M. Adolphe, j'vous
prie...

M. Adolphe a pris place sur la chaise, les jambes très
ouvertes. Sa partenaire s'agenouille parallèlement à lui et
actionne la fermeture Eclair fermant la braguette du
bonhomme. Sa main lasse se coule par la brèche, explore
de sombres profondeurs et ramène dans le faisceau des
loupiotes un zob mollasson, sans vie, grisâtre, qui évoque
les doigtiers de cuir qu'on enfilait jadis par-dessus un
pansement pour le protéger. Seul signe particulier, le
pénis, quoique étant au repos, est d'assez fortes dimensions.

La donzelle le dégage entièrement et se met à le flatter.
Histoire de hâter sa résurrection, elle le frotte de ses deux
mains à plat, comme on le fait avec la pâte à modeler pour
la tréfiler.

M. Adolphe se prend à goder gentiment. Son membre
acquiert une consistance de bel aloi. C'est pas le super
goumi, façon matraque de C.R.S., mais ça devient de
l'objet valable.

La chose étant acquise, Mme Eva s'agenouille entre les
jambes de son partenaire et lui bricole une petite séance de
fellation qui n'altère pas pour autant la félicité du faux
Hitler, ni ne l'accroît.

Au bout de peu, la biroute de M. Adolphe est devenue
vraiment flamberge. Sa partenaire peut l'abandonner un
instant : elle restera braquée, dodelinante comme le cou
des petites tortues articulées qui font si joli sur la plage
arrière des automobiles.

— Méhamessieurs, déclare M. Prince en ressortant de
l'ombre où il se cantonnait avec une exemplaire discrétion, Maâme Eva, ici jointe, va se faire enfiler par
M. Adolphe. Pour commencer, elle le chevauchera sur sa
chaise, de façon que vous pouvez regarder bien à votre
aise la manière agréable que la bibite à M. Adolphe lui
rentre bien dans la moniche. Je tiens à vous signaler que
Maâme Eva a une très jolie chatte. Si ce serait un effet de

votre bonté, Maâme Eva, de soulever un peu votre jupe,
que ces messieurs-dames puissent se rincer l'œil...

Docile, indifférente, avec des gestes gauches, la dame
souscrit à la demande de M. Prince. La voici qui se
trousse très haut. Elle ne porte pas de culotte afin de
faciliter le numéro. Elle a le bide en surplomb de Vénus.
Des poils sans joie, si tristes qu'ils filassent sans se donner
la peine de frisotter.

— Ayez pas peur d'écarter, Maâme Eva ! recommande
M. Prince ; que les spectateurs puissent admirer vos
charmes. Et même si vous voudrez bien vous faire un petit
doigt de cour, leur montrer combien t'est-ce que vous êtes
salace...

La vioque se guiliguilite le clito, comme tu passes ton
doigt sur un dessin au fusain pour l'étaler, former des
ombres.

— Il serait de bon ton que vous nous fassiez part de
votre plaisir, Maâme Eva, insiste le présentateur.

La malheureuse pousse des « ahh ahhh ! » qui ressemblent à un gargarisme.

— Parfait ! remercie M. Prince. Et maintenant, méhamessieurs, je vais passer parmi vous pour récolter votre
participation aux frais. Chacun donne selon ses moyens.
C'est à votre bon cœur.

Il s'empare d'une corbeille à pain et se met à essorer
l'assistance. C'est le moment d'information pour
M. Prince. Peu lui chaut (je devrais dire « peu lui EN
chaut », mais je te compisse) l'importance des dons. Ce
qui l'intéresse, c'est de repérer l'endroit où ces braves
badauds viceloques remisent leur grisbi.

La quête est vite faite ; ses résultats sont modestes.

— Merci à toutes et à tous, lance M. Prince. A présent,
M. Adolphe et Maâme Eva vont passer aux choses
sérieuses. Mes chères vedettes, quand vous voudrez...

Ayant dit, il va régler les deux loupiotes : un faisceau
rouge, un autre vert. C'est féerique, le cul dodu et
grincheux de Mme Eva dans cette apothéose lumineuse !
Tu verrais ça, t'en redemanderais !

Elle enjambe son partenaire, comme elle le ferait d'un vélo sans selle, et se le plante sans coup férir. Le paf à M. Adolphe devient franchement tumultueux.

Il bande à la demande, M. Adolphe. Et c'est cette inestimable particularité qui a donné au trio l'idée de mettre au point ce « numéro ».

La mère Carabosse entreprend un mouvement vieux comme le monde. La chaise surmenée grince et tangue un peu. M. Adolphe se cramponne aux montants.

Les assistants, hypnotisés, ont du mal à déglutir. Personne ne songe à lancer des quolibets qui détendraient l'atmosphère.

La scène est bien trop dramatique. Mme Eva chevauche consciencieusement ce cossard de Hitler dont la tête ahurie se lit par-dessus son épaule gauche. Pendant ce temps, M. Prince s'est fondu dans l'ombre et inspecte les poches et les sacs à main. C'est un prince en la matière, M. Prince. Pickpocket de classe internationale. Pendant des mois, il s'est exercé sur un mannequin articulé couvert de grelots jusqu'à ce qu'il parvienne à soustraire de ses poches étroites les objets les plus saugrenus sans faire frémir un seul grelot.

Sous sa veste est attachée une grande poche de jardinier, en toile noire, dans laquelle il glisse sa moisson. Il pique, pique, avec un doigté infernal. C'est le Mozart de la chourave.

Lorsqu'il a détroussé cette bande de voyeurs, il fonce remiser son butin dans une fausse boîte à lettres qu'il suspend au coin de l'impasse avant la séance. Qui donc, en cas de coup dur, irait suspecter cet innocent collecteur de courrier patronné par les P.T.T. ?

Voilà, en cinq minutes, tout est épongé.

Alors il réapparaît.

— Méhamessieurs, les artistes vont maintenant passer à une autre phase opérationnelle. C'est ainsi que M. Adolphe va miser Maâme Eva en levrette. Ladies and gentlemen, now, mister Adolph do take mistress Eva in dog's levrette.

Effectivement, les partenaires se disjoignent. Mme Eva s'accoude au dossier de la chaise, tandis que son Hitler d'infortune (du pot) l'embroque comme il fut annoncé.

— Vous pouvez approcher, méhamessieurs, assure M. Prince : ça ne mord pas !

Il rit.

M. Adolphe s'active à grandes bourrades bourreuses, en faisant des « han ! », des « tiens ! », des « ahhhrrr ! » very excitinges. Le brave cul de Maâme Eva laisse passer l'orage, stoïque dans la vergeuse tempête, avec ces gros roustons qui font sac et ressac au bas de ses miches.

— Méhamessieurs, tout me laisse croire que M. Adolphe va bientôt défoutrailler. S'il se trouve parmi vous un amateur ou une amatrice qui aimerait déguster M. Adolphe, faut pas qu'y se gêne ; nous sommes ici entre connaisseurs.

Il redit dans son anglais bancal ; mais personne ne se soucie de recueillir la semence d'Adolphe Hitler.

— Souate, fait M. Prince. En ce cas, pour que tout un chacun va pouvoir profiter du clou du numéro, nous allons prier M. Adolphe d'avoir l'obligeance de déculer, que Maâme Eva nous le finisse à la main dans les feux de la rampe... voilà ! Merci, chers artistes. Les personnes du premier rang, si vous voudriez bien reculer : M. Adolphe déjacule en trombe, j'vous préviens. Cela dit, nous tenons des Kleenesques à la disposition de ceux ou celles qui auraient droit aux retombées de M. Adolphe.

Ce qui suit se déroule conformément aux précisions fournies par M. Prince. M. Adolphe sort de sa partenaire et se met face au public. La dame empare son pénis lubrifié et lui fait subir un mouvement de piston tout en le gardant braqué contre l'assistance. Et puis, bon, voilà : Hitler se répand à tout vent, avec une impétuosité supérieure à ce qu'avait annoncé son acolyte. Il dispose d'une pression rarissime, M. Adolphe, que tu croirais qu'il balance des serpentins avec son paf. Les dames du premier rang poussent un cri de presque frayeur et reculent pour ne pas morfler. La descendance compromise du petit homme s'affale sur le pavé disjoint.

— Méhamessieurs, clame M. Prince, la représentation est terminée. Nous vous remercions de votre présence et vous souhaitons à toutes et à tous une bonne fin de soirée. Si vous voudriez bien vous joindre à moi pour un petit bravo à nos chers artistes, je crois qu'ils le méritent.

Il applaudit.

Deux ou trois pégreleux en font autant, machinalement.

Les autres, honteux, se carapatent sans demander leur reste et vont chercher dans les lumières du vieux Montmartre une espèce de purification.

En moins de rien, les trois rigolos ont éteint les loupiotes, ramassé les projos, décroché la toile et raflé la chaise. Machinos exercé, chacun a sa besogne assignée et l'exécute prestement.

Mme Eva part la dernière. C'est elle qui est chargée de la mission délicate : elle va décrocher la boîte aux lettres jaune, siglée de bleu, servant de réceptacle au butin, la planque dans un landau d'enfant et file en direction de leur domicile, situé au pied de la Butte, versant Saint-Ouen.

⋆
⋆ ⋆

A présent, les trois compères se trouvent *at home*.

Ils habitent un F 3 dans une construction neuve vachement sinistros, mais qu'ils aiment bien, et c'est là l'essentiel, non ?

Mme Eva prépare le frichti. Comme presque tous les artistes, ils s'alimentent après la représentation. Ce soir, il y a rillettes, omelette Parmentier, calandos, flan caramel. Le tout arrosé d'un aimable picrate que M. Adolphe fait venir de chez le viticulteur.

Ils ont branché la téloche pour mater les dernières informes. Mais ils regardent et écoutent distraitement.

M. Prince bourre sa pipe pour après la jaffe. Il fume de

l'Amsterdamer, ce qui embaume tout l'appartement. M. Prince (c'est son véritable blaze) est le frère de Mme Eva. Sa vie sexuelle, à lui, est nulle et non avenue. Les jours de fête il se masturbe, juste pour dire, mais ses sens sont en somnolence. Lui, sa passion, c'est les mots croisés. Dans sa chambre, il y a des piles de fascicules spécialisés dont toutes les cases sont dûment remplies.

Lorsque la bouffe est à point, ils se mettent à table. Ce sont des gens extrêmement raisonnables. Pas des fébriles qui, à peine au sec, se jettent sur leur butin pour en faire l'inventaire. Chaque chose en son temps.

Ils bouffent donc en devisant de choses et d'autres.

Après la crème caramel (parfumée citron), M. Prince allume sa bouffarde, tandis que M. Adolphe pète en sourdine et que Mme Eva dessert la table.

On entend les voisins du dessous qui s'engueulent, comme tous les soirs à pareille heure. L'homme, il fait équipe et rentre sur le coup de onze plombes. Chaque fois, il trouve chez lui un de ses potes et, jalmince, fait une scène. Il crie que sa rombière est une sous-salope, fumière de bas étage, au cul pourri à force de trop de bites mal contrôlées.

Ce langage fait soupirer M. Prince qui déteste les grossièretés.

Il rallume sa pipe. Rien de plus capricieux qu'une bouffarde. Ce qu'on peut y passer comme allumettes, mon neveu !

Pendant qu'il tète son tuyau, on sonne à la lourde.

Les trois se défriment, pas contents.

— Qui ça peut-ce être ? interroge Mme Eva.

Son frérot et son bonhomme hochent la tête.

Comme un nouveau coup de sonnette retentit, plus péremptoire, M. Adolphe se décide à aller ouvrir.

Il trouve sur son paillasson un grand type fringué de sombre, très élégant, avec cravate bleue, s'il vous plaît. Une gueule d'étranger, se dit-il. L'homme est brun, il a la peau claire, un regard extrêmement calme.

— J'aimerais vous parler un instant, déclare-t-il, avec, effectivement, un drôle d'accent.

— C'est à quel sujet ? s'inquiète M. Adolphe.

— Au sujet de votre spectacle.

Hitler se rembrunit. Il n'aime pas cette allusion directe. Une fois chez lui, le trio entend retrouver la sécurité. Pas d'interférence entre le lieu de travail et le gîte, la tranquillité de vie est à cette condition.

— Je ne vois pas de quoi vous voulez parler, essaie-t-il.

Mais l'autre sourit avec rien que ses dents et entre d'autorité. Pas de force : d'autorité, c'est-à-dire qu'il ne bouscule pas M. Adolphe et même ne le touche point. Il s'avance et son vis-à-vis, subjugué, recule.

L'arrivant salue les deux autres d'une inclinaison de tête.

Il regarde autour de lui, avise un fauteuil pelucheux et le choisit. Une fois assis, il croise les jambes, tire sur le pli de son futal et dit :

— Je viens récupérer ce que vous m'avez volé dans l'impasse pendant que vous faisiez vos cochonneries.

M. Prince le prend de haut.

— Non, mais dites donc, qu'avez-vous l'air d'insinuer ?

— Oh ! écoutez, je n'ai pas le temps, j'en ai suffisamment perdu à vous retrouver, soupire le visiteur.

Il déboutonne sa veste et montre un étui de cuir accroché sous son aisselle gauche. La crosse d'un pistolet en dépasse. Il prend ensuite dans sa poche un truc noir et rond, bizarre.

— Ceci est un silencieux, explique-t-il.

Il remet le truc noir dans sa fouille. Puis il dit :

— Faites vite !

Les trois s'entre-dévisagent.

M. Adolphe et M. Prince sont terrorisés, mais Mme Eva reprend du poil de la bête. Ce vilain type, avec de vilains airs, lui tape sur le système. Qu'est-ce qu'il s'imagine ? Et ses deux kroums qui vont s'affaler comme des larves juste parce qu'on leur montre la crosse d'un pistolet. D'abord, les honnêtes gens n'usent pas de ce mode d'intimidation. En vérité, un filou a retapissé leur manège et tente de les faire cracher au bassinet. Il entend retirer les marrons du feu ! Compte là-dessus, mon lapin ! Elle vient pas se faire fumer le cul en public, non plus que vider les burnes à son jules pour qu'un malin passe à la caisse ensuite. Oh ! mais que non ! Paysanne d'origine, Mme Eva. Que dis-je : Bretonne ! Tu juges ? Bon cœur, mais tête dure.

Alors elle prend l'affaire en mains, la vaillante. Explose, fulmine. Dit tout net qu'il s'agit pas de venir enchier une honnête famille à pareille heure avec des ragots. Et que, bien que n'ayant pas une adoration pour les poulets, elle va les appeler bel et bien si ce triste sire ne décanille pas vite-fait-bien-fait, compris ?

Pour prouver, elle empare le téléphone. Lit le numéro des roussins au cadran, *mezza voce*. Un doigt engagé dans le premier trou.

Bon, le type tire son arme, ressort son silencieux qu'il adapte au canon avec des gestes hautement précis de clinicien.

— Les femmes ont l'art de tout compliquer, murmure-t-il.

Et alors, bon, voilà, ça se passe comme ça. Mme Eva, cette obstinée connasse, compose à la volée le numéro des bourdilles.

Juste comme elle dit « Allô ! » deux sous-détonations se produisent. Pas fortes, comme tu t'amuses d'en faire avec la langue ou avec le cul si, comme Bérurier, tu es un surdoué du pet.

En plein dans la poitrine opulente de Mme Eva. Laquelle n'insiste plus et meurt sans seulement lâcher le combiné. L'homme interrompt la communication en appliquant l'extrémité du feu sur la fourche du bigophone.

Les deux mecs, vachetement larvaires, glaglatent en se vidant de ce qui leur a servi d'énergie jusqu'à ce vilain soir. Joyeux Noël !

— Maintenant, pressons, dit le visiteur.

Tu parles que M. Prince, absolutly décomposé, se manie la rondelle pour aller quérir la boîte aux lettres.

Le type a un sourire.

— Astucieux, apprécie-t-il, et félicitations pour votre doigté, mon cher, je ne pensais pas qu'un tel exploit fût possible. Si je le racontais à mes amis, je perdrais tout crédit à leurs yeux.

Oui, il dit comme ça, tandis que M. Prince ouvre la boîte à malices.

L'étranger lui ordonne d'étaler le contenu sur la table.

Des portefeuilles, des porte-monnaie, des montres, bracelets, pendentifs, et autres sottises en or vrai ou bidon s'accumulent sur la toile cirée à petits carreaux bleu et blanc. L'homme les écarte avec son silencieux qui semble être devenu le prolongement de son sens tactile. Il a un léger hochement de tête satisfait en retrouvant ses biens, à savoir un porte-cartes de croco fatigué et un objet curieux, de la dimension d'un poudrier mais qui comporte de minuscules cadrans avec des chiffres de différentes couleurs, et des boutons molletés. Le visiteur se jette positivement dessus. A la manière qu'il le tient et l'examine on pige le grand cas qu'il en fait. Il murmure en le brandissant :

— Pour vous, c'est une chose sans valeur, mais pour moi, cela n'a pas de prix. Si vous ne m'aviez volé que mon porte-cartes, je ne me serais même pas dérangé.

Néanmoins, il récupère les deux choses. Et puis il a un hochement de tête affligé.

— Ne m'en veuillez pas, dit-il, mais que voulez-vous : quand on va trop loin, il faut aller jusqu'au bout !

Il commence par M. Prince : deux balles dans la tronche. Il ne procède que par doublé, ayant été entraîné à la prudence.

La frime du bateleur se disperse. C'est aussitôt ensuite celle, pseudo-hitlérienne, à M. Adolphe qui fait la valise. Poum ! Poum !

Le boulot est net, presque propre.

Le visiteur du soir souffle longuement sur le silencieux, le dévisse et remet son matériel en place.

Il va ouvrir la porte palière et écoute.

Nonobstant les télécriailleries, tout est calme dans l'immeuble.

L'homme éteint la lumière, sort et, négligeant l'ascenseur, s'engage dans l'escalier. Il le descend posément, comme un visiteur se retire après le dîner.

En bas, il n'y a personne...

Juste un vieillard qui promène un chien morose, mais loin sur la droite.

L'homme prend à gauche, décidé à contourner le bloc pour rallier sa voiture stoppée tout près.

C'est un professionnel qui fait tout par poids et par mesure.

Il n'a jamais eu le moindre problème.

La petite expédition négligeable de ce soir lui posera son premier.

Pour un détail très sot.

Cette vachasse de Mme Eva, quand il s'est installé dans le fauteuil, a déclenché l'enregistreur du cassettophone cassettophage dont elle se sert habituellement pour repiquer les roucouleries de certains chanteurs à la téloche.

C'était une maniaque de la captation sonore. Elle agissait par goût du pillage car jamais elle n'a réécouté l'une de ses cassettes.

CHAPITRE POMMIER (1)

Jean-Louis me demande .

— Ça ne vous ennuie pas si je me prépare pendant que nous causerons ? Il va bientôt être l'heure de mon numéro.

Je lui réponds que comment-donc-faites-mon-vieux, et il se met à enfiler ses bas à résille qu'il assure ensuite avec des jarretelles affriolantes.

— Je vais vous demander de vous détourner, minaude Jean-Louis, si j'ai un sexe extrêmement normal, puisqu'il mesure cinq centimètres, je possède malheureusement des testicules un peu forts que je dois fixer entre mes jambes avec de l'albuplast.

— Nous avons tous nos misères, le consolé-je.

Je lui fais dos, à mes risques et périls. C'est donc dans la grande glace de sa loge et non en direct que je le vois se mettre à califourchon sur ses burnes et les placarder tant bien que mal à l'aide de ruban adhésif.

Il est gentil, Jean-Louis. Plutôt jolie fille. Blond décoloré, avec des yeux de biche sodomisée. La nature s'est un tantisoit gourée dans son hémisphère sud, mais il est du bois dont on fait les pipes et s'accommode vaillamment de ses erreurs d'aiguillage.

— Bon, alors l'homme vous a abordé comme vous sortiez de l'entrée des artistes, si je puis dire ?

(1) *Dédié aux marchands de cidre.*

— Exact. Personnage troublant. Par ses yeux surtout ; si terriblement incisifs et mâles.

— Vous me résumez votre conversation, chérie ?

— Il m'a dit : « Puisque vous montrez votre saloperie de cul dans cette taule, vous devez connaître les trois gugus qui font voir le leur dans l'impasse à côté. »

— Hum, pas très galant, remarqué-je.

Jean-Louis hausse des épaules entièrement fatalistes, clavicules comprises.

— Il avait un accent étranger qui faisait passer la rudesse de ses propos. Une voix si chaleureuse, si basse et vibrante...

— Celle-là, fiston ?

Je sors un minuscule cassettophone de ma fouille et l'enclenche.

Un organe correspondant pile à la description faite par le travelo retentit.

« Je viens récupérer ce que vous m'avez volé dans l'impasse pendant que vous faisiez vos cochonneries », énonce la voix aux inflexions un peu métalliques dans les angles.

Jean-Louis s'exclame :

— C'est bien lui ! Radiogénique, non ?

— Il pourrait déclamer un édito sur les mutilés de la Sécu, à la radio, conviens-je. Bon, il vous a demandé si vous connaissiez les pieds nickelés en question et vous avez répondu que oui, parce que, effectivement, vous les connaissiez ?

— Relations de voisinage, fait la pédale aux-testicules-entre-les-jambes ; des pauvres bougres pittoresques qui se livraient à une parodie pornographique...

Il les traite d'amateurs, lui le pro aux paillettes et plume-dans-l'oigne. Normal. La hiérarchie est une échelle qui sert d'épine dorsale à l'homme, comme n'aurait pas manqué de l'écrire Paul Bourget s'il avait su écrire. Le bath de la vie sociale c'est d'avoir des gus au-dessus, et surtout des gus au-dessous de soi. Dominer et escalader sont les deux mamelles de la frange.

— Ensuite ? reviensjàmesmoutons-je.

— Je lui ai répondu que je connaissais ce curieux trio. Alors, il a eu un rire ensorceleur et il m'a mis la main entre les jambes, gentiment, en copain farceur. Une main d'ogre ! J'en frémis d'y repenser... Bref, ce voyou m'a demandé où habitaient les trois pommes en question. Alors là... Comme si les gens qu'on croise portaient leur adresse sur un dossard comme les sportifs un numéro.

« Je lui en ai fait la remarque. Alors, ce grand bandit aux yeux d'acier m'a déclaré tout net : « Il va pourtant falloir que je les retrouve avant minuit, j'ai un train à minuit quarante. » J'ai pris cela pour une boutade, ça m'a amusé, et ne voilà-t-il pas qu'il se fâche d'un coup. Tout de suite une gueule comme un masque de guerrier japonais ! Une expression de tueur, et je n'exagère pas. »

— Non, ma poule, admets-je, tu n'exagères pas.

— Pour lors, je lui ai conseillé d'aller voir au *Bar des Frangins* au bout de la rue, parce que c'est dans la cour de celui-ci que les trois rigolos remisent leur matériel.

Jean-Louis enfile sa robe de mariée, puis coiffe sa merveilleuse perruque. La robe comporte des boutons, mais qui ne servent qu'à la décoration car elle s'ajuste, à l'aide de fermetures adhésives, ce qui est plus propice au strip.

Debout devant sa grande glace pivotante, le travelo me gazouille :

— Je ne vous inspire pas, commissaire ?

— Si, dis-je, mais je préfère ne pas te dire quoi.

***

Au *Bar des Frangins,* y a Loulette, la taulière, espèce de pachyderme transformé en femme par une fée Carabosse en état d'ébriété. Style « caissière du Grand Café ». Elle en est restée à Toulouse-Lautrec pour ce qui est de la coiffure. Elle est vachée sur son tiroir-caisse, Loulette. Chaque fois qu'elle l'opène, elle doit déplacer, à droite, puis à gauche, les deux sacs de farine qui lui servent de

poitrine. Son regard glauque est aussi profond que deux
œufs sur le plat dont les jaunes sont crevés, elle s'en sert
néanmoins pour me regarder venir à elle avec la mine
avenante d'un chef des douanes auquel on amène un
tomobiliste dont le coffre était empli ras bord d'héroïne
base.

Au comptoir, un vieux kroum ganacheur, saboulé
loufia, rinçotte des verres dans un bac dont il n'a pas
changé l'eau depuis la mort du Général de Gaulle. J'ai
idée, d'emblée, commak, que Mme Loulette est veuve
depuis des temps, maquée gentil avec son rade-made qui
doit lui bricoler une bonne manière, vite fait, après la
comptée du soir, quand il a achevé de mettre les chaises à
la renverse sur les tables.

Je me pointe jusqu'à la caisse, avec le sourire vivifiant
des pin-up boys clamant sur une affiche les mérites d'un
ambre solaire ou des cigarettes à la menthe Machinchose.
Mais ma frite avenante la laisse aussi froide que la
découverte de Dumont d'Urville en 1840. Comprenant
que je n'obtiendrai rien d'elle de bonne grâce, je lui
montre ma brême pour la faire parler de mauvaise.

Le trio Bibite ? Ben oui, elle connaît. Surtout le beau-
frère, M. Prince, qui a été comptable jadis et qui l'aide
dans ses déclarations d'impôts. Ce qu'ils font, tous les
trois, impasse Broutemiche, ne la regarde pas. Oui : elle
leur permet de garer dans sa cour leur matériel qui n'est
pas très encombrant puisqu'il s'agit d'une voiture d'enfant contenant deux projecteurs, une grande toile et une
chaise pliante.

Et alors, la police ne va pas se mettre à faire chier ces
braves gens, non ? Les temps sont difficiles, chacun
écrème son lait comme il peut, non ? On en voit des plus
salingues, dans les cinés cochons, non ? Avec des pafs en
gros plan et des giclées de foutre en feu d'artifice, plein
écran, Vistavision, couleur. Et le bruitage, dites ? Vous
avez entendu le bruitage clapoteur ? Merde !

Et c'est toléré, non ? Mieux : l'Etat prélève des taxes
sur ces hautes dégueulasseries. Elle en a visionné une,

Loulette, par pure curiosité, manière de se rendre compte jusqu'où « ils » vont, et la complète dégradation des mœurs, tout ça... Elle n'en croyait pas ses yeux effarés, non plus que ses oreilles, une telle forêt de pafs braquemardés de première, et ces chattes pareilles à des entrées de métro, merde ! Et voilà qu'on viendrait chercher des noises à travers les têtes rogneuses du gentil trio ? Il fait quoi, M. Adolphe, sinon loncher sa propre bonne femme ? Devoir conjugal ou pas, hein, quoi, merde ? Elle exagère ?

C'est avec Bobonne ou le cardinal Marty qu'il monte en ligne, l'artiste ? Et au bouquet final, qui c'est qui le fait découiller élégamment : sa propre épouse ou son Altesse Rarissime la Comtesse de Paris ? Où est-ce qu'on peut prouver l'atteinte aux mœurs ? Hein ?

Je la laisse se vider de ses inexplicables rancœurs.

Après quoi je pousse un gros soupir qui fait palpiter une mèche rebelle de son chignon en forme de tiare.

— Vous déchargez trop d'adrénaline, chère madame, je fais, ce qui accélère votre rythme cardiaque, dilate vos bronches, augmente votre pression artérielle et freine votre digestion ; du train où vont les choses, vous allez carboniser la portion médullaire centrale de vos surrénales et, qui sait ? nous bricoler un infarctus, entre deux calvas dégustation. Monter sur vos grands chevaux me paraît être chez vous un dada. Pourquoi avoir traversé la tête haute votre ménopause, si vous devez ensuite encourir délibérément d'autres risques ? Que penserait votre fidèle clientèle si, un matin, elle venait emplâtrer votre rideau baissé portant l'inscription « fermé pour cause de décès »... Songez au moins à elle, si vous ne pensez pas à vous, petite téméraire.

A mesure et au fur que je débite, ses yeux, sa bouche, se dilatent et je te parie tout ce que tu voudras contre ce que je ne veux pas, que son anus en fait autant.

Je remise ma carte poulardienne.

— Un type est venu, hier soir, tard dans la soirée, vous

demander l'adresse de vos chers protégés, et vous la lui avez donnée, exact ?

Elle remue lentement sa belle tronche de caissière aux langueurs charolaises.

— Gagné, alors je continue : ce type s'est rendu aussi sec chez nos chers artistes de genre et il les a abattus à coups de pistolet, tous les trois. Six balles au total, vous aurez toutes les précisions dans les journaux de demain matin ; moi, vous m'excuserez, je n'ai pas le temps de tartiner sur les détails car je suis chargé de retrouver l'assassin.

La mère en prend plein la poire ! Elle me défrime comme une huître regarde un citron sur un plateau garni de glace pilée. Elle hésite à respirer encore, se décide pour, ramasse trois mètres cubes d'oxygène avec ses poumons et les restitue sous forme de gaz carbonique.

— Vous entendez, Aldo ? elle grabatouille avec les basses de ses cordes vocales.

Le vieux louftoche qui n'a rien entendu dit quoi donc madame, elle lui pécore d'une voix sarahbernhardienne l'assassinat en triple exemplaire sur plancher libre de leurs petits copains, ce qu'apprenant, le vieux serveur lâche son verre après que ce dernier eût brillamment passé son bac.

Il renchérit du râtelier, que mon Dieu c'est pas possible ! Alors que ce le fut bel et bien, bougre de vieux con croulant, coulant, vaseux et anachronique.

— Ecoutez-moi bien, tous les deux, fais-je, vous êtes les deux seules personnes à avoir vu cet homme en pleine lumière. Alors vous allez m'accompagner jusqu'au labo de police où l'on va, comme dans les merveilleux feuilletons télévisés, établir d'après vos indications, un portrait robot du meurtrier.

— Mais ce n'est pas l'heure de la fermeture ! objecte l'amazone du tiroir-caisse, déjà rogomme sur les bords.

— Si vous refusiez de collaborer avec la police, pendant plusieurs jours, cela risquerait de ne plus être celle de l'ouverture, jolie madame.

— Je voudrais bien voir ça ! rebiffe Loulette.

— Ça ne tient qu'à vous ! chiché-je.

Mes yeux finissent par écarter les siens.

Elle se lève en ahanant, descend de son trône bistrotier.

Il est prouvé qu'une fois déboulonnée, elle mesure un mètre cinquante avec ses talons hauts.

CHAPITRE DREUX (1)

« *Pour vous, c'est une chose sans valeur, mais pour moi cela n'a pas de prix. Si vous n'aviez volé que mon porte-cartes, je ne me serais même pas dérangé !* »

D'un geste clic, je stoppe le petit magnéto.

Le Vieux reste impénétrable derrière le double écran de son bureau et de ses lunettes noir Porsche à monture pliante. Ces dernières sont justifiées par la venue d'un orgelet qu'il ne saurait montrer à ses inférieurs, non plus d'ailleurs qu'à ses supérieurs. Il est tout grincheux, du fait de ce compère-loriot, compère-bourrique. On l'en a surnommé « l'amer supérieur », pour lors, Achille au pied léger.

Dix fois qu'il se fait passer le texte des paroles prononcées par le tueur chez les montreurs de culs.

Il cueille le portrait robot posé sur son sous-main et se détourne afin de pouvoir soulever ses noires besicles sans me montrer son furoncle en forme de grain d'orge. Il étudie le résultat de l'association Loulette-Aldo-Mathias. La photo truquée serait celle d'un homme d'environ trente-cinq ans, au regard rond et froid, aux pommettes hautes, au front étroit, au nez rectiligne, à la bouche légèrement tordue. Fascinant, patibulaire et vaguement séduisant, tel serait mon résumé du personnage fictif

(1) *Dédié aux Durocasses.*

obtenu par tâtonnements. On y lit la cruauté tranquille, un calme à toute épreuve, et une sensualité débridée.

Le Dabe laisse retomber ses lunettes et jette l'image sur le bureau.

— Bon, nous avons affaire à un tueur professionnel. Il a pris des risques en enquêtant lui-même pour avoir l'adresse des trois bougres. Pourquoi a-t-il pris ces risques, San-Antonio ? Répondez.

— Parce qu'il devait très rapidement récupérer l'objet qui ne pouvait servir aux autres mais qui, pour lui, revêtait une importance capitale.

— Très bien.

— Donc, il est allé chercher son bien. Et pourquoi a-t-il tué trois personnes, trois : deux et une, alors qu'il avait retrouvé son truc ?

— Parce qu'il ne fallait pas que l'un de ces trois guignols puisse décrire la chose.

— Eh bien ! bravo ! Oui : bravo, je vous le dis tout net. Voilà qui est raisonné de première : je crois m'entendre. A présent, dites-moi, San-Antonio, une question marginale, hors compétition : qu'est-ce qui m'a pris de vous confier une banale affaire d'assassinat, à vous, le spécialiste des affaires ambiguës ?

Je le regarde. Mais ses putains de verres teintés le sont tellement qu'il est impossible de deviner son regard. Achille sans ses yeux délavés, c'est presque quelqu'un d'autre. Heureusement qu'il lui reste sa calvitie rupinos, son beau complet bleu croisé, sa rosette sur canapé et surtout sa voix d'extrême-chef.

— Je me le suis déjà demandé, monsieur le directeur.

— Et vous êtes-vous donné la réponse ? ironise-t-il.

— Eh bien, j'ai cru que c'était à cause du fameux objet mystérieux auquel il est fait allusion. Et puis je me suis dit que votre motivation venait d'ailleurs. J'ai opéré une rapide enquête qui m'a révélé ce que vous avez su tout de suite, grâce à la sagacité qui vous caractérise.

Un petit coup de lèche en passant n'est pas négligeable.

Langue express. Il mouille au déboulé, le dirluche. Sans crier gare, lui qui salive si facilement des burnes.

— J'ai appris que les balles ayant abattu ces trois pauvres diables avaient été tirées par l'arme qui a tué Armando Calamita, le ministre italien.

Je grimpe dans l'estime du Vieux comme un typhon jamaïquain à l'échelle de Beaufort. Il manque ôter ses lunettes, tant est vive sa stupeur.

— Parfait, dit-il.

Il me tend la main.

Cherche du définitif à dire.

En trouve.

— Ravi de vous connaître, San-Antonio.

*
**

— Tu pars en voiliage ? s'inquiète Master Béru, en me voyant compulser le Chaix.

— Pas encore, marmonné-je, mais la chose n'est pas impossible.

Qu'à force de mouiller mon index et de tourner des pages, je finis par dégauchir ce que je cherchais.

Souviens-toi, con blasé, Jean-Louis, le mignon travelo, m'a rapporté une réflexion du tueur comme quoi il lui fallait retrouver dare-dare les trois mousquetaires du coït urbain vu qu'il devait prendre un train à minuit quarante. Sur le moment, j'ai cru qu'il avait lancé cela comme une boutade. Et puis j'ai réfléchi... Et tu sais pourquoi ? Parce que les journaux annoncent en first page que la grève des aiguilleurs du ciel continue. Donc, présentement, la France est privée d'avions, donc force est, quand on le peut, de se rabattre sur le dur. Et alors, dans mon aimable tête confortable, super-équipée, une gymnastique s'opère. Je me dis : « S'il existe un départ de train à minuit quarante, il y a de fortes chances pour que l'homme ait dit vrai et l'ait pris. »

Or, il existe un train qui décarre de la gare du Nord à

zéro heure 40, ce qui équivaut au plaisant minuit quarante énoncé par le meurtrier. Ce train est le Paris-Londres.

Je referme le Chaix, songeur. Claudette tape à la machine avec une énergie farouche qui me laisse à penser qu'elle œuvre pour son compte.

Je vais me pencher sur son clavier dit universel.

— De quoi s'agit-il ? demandé-je en désignant le texte qui se dévide sous ses doigts de fée et qui dit brillamment ceci : « Un crépuscule de velours, déjà clouté d'étoiles scintillantes, s'étendait sur la campagne endormie... »

Elle hoche la tête.

— Je tape le roman d'un jeune écrivain dont j'ai fait la connaissance dernièrement et qui n'a pas les moyens de se payer une secrétaire...

Je finis de lire la page en chantier.

— Je ne voudrais pas descendre votre idole en flammes, ma gosse, mais c'est pas Victor Hugo, votre génie !

Claudette murmure sans s'interrompre de taper :

— Il avait une grosse bite, Victor Hugo ?

— Je n'en sais rien, ma belle.

Elle désigne la feuille noircissante d'un hochement de menton :

— Parce que lui, si. Alors pour moi, son talent, c'est franchement la question subsidiaire.

Je la laisse apporter sa pierre à l'édifice d'une carrière et je chope Bérurier par une aile.

— Viens, Gros, on va faire un viron à la gare du Nord.

— Bonne idée, apprécie le Mammouth, je connais une brasserie à deux pas où l'on clappe la meilleure choucroute de Paname.

Un lointain bruit de chasse d'eau retentit. Au bout de peu, on voit sortir des gogues le père Pinaud, plus verdâtre et en complète délabrance que jamais.

— Ça ne s'arrange pas, nous dit l'excellent homme. J'ai commis une folie, hier au soir, chez des amis : j'ai mangé du melon afin de ne pas les désobliger. Et avec moi, le melon ne pardonne pas. Joignez à cela qu'ils ont servi

ensuite une omelette mexicaine riche en piment et vous
comprendrez ma débâcle intestinale de ce matin.

— Faut qu'tu vas bouffer beaucoup de riz, préconise le
docteur Bérurier.

— Suis-nous, la Vieillasse ! enjoins-je.

— Mais z-où ? Mais z-où donc ? lamente d'emblée le
fossile.

— Gare du Nord.

— Dans mon état de délabrement ?

Bérurier tue ses objections dans l'œuf.

— Fais-toi pas d'mouron, y a des chiottes plein la gare
du Nord, mon pote !

Et alors donc, nous voilà partis, trio fameux, pas
fringant, mais illustre sur les bords, pour une équipée que
merde, tu m'en donneras des nouvelles.

Si toutefois tu en reviens !

A la gare *of the North,* je disperse mes deux excellentis-
simes limiers, munis chacun de la photo robot du tueur,
sur le chantier de la gare, voire par *the same occase,* le
sentier de naguère. Ils ont pour mission de dénicher
quelqu'un susceptible d'avoir retapissé notre homme dans
le train de Londres, cette nuit.

En ce qui concerne, je me dirige à la location, faisant le
raisonnement ci-dessous : « En ce moment : pas d'avion,
donc rush sur les trains. Prudent de retenir ! Donc
réservation à la loc. » Simple, sans bavure. T'aimes ?

Le préposé est une dame agréable à regarder, fût-ce à
travers un guichet. Type méridional. Fine moustache,
chatte crépue, poil aux pattes — ces deux dernières
rubriques appartiennent au département « supposition »,
sourire affable de la personne à laquelle on enfonce un
tisonnier rougi dans le rectum après lui avoir fait absorber
une tasse d'huile bouillante (et de ricin).

Je lui montre ma brêmouze. Elle essaie de se dérider, à
savoir qu'elle fait le plus gros, réservant le reste au scalpel
d'un chirurgien esthétique. Profitant de cette mise en

condition, je lui produis la photo de « l'homme ». Elle la considère un bout de temps, haussant ses sourcils, puis les rabaissant pour les relever encore, et ainsi de suite, comme des petites ailes noires chargées de conduire sa belle tête velue dans les nuages.

— C'est un portrait robot, remarque-t-elle du ton de quelqu'un à qui « on ne la fait pas », ou alors par-derrière et avec son consentement et de la vaseline.

— Exact.

— Vous voulez savoir si j'ai vu ce type ?

— Hyper-exact.

Elle dodeline du chef.

— Oui, je le reconnais.

Ça se met à gazouiller dans mon cœur, comme le matin, dans le jardin de l'hôtel pendant tes vacances sur la Côte.

— Il a retenu un single pour le zéro heure quarante-huit de Londres, qui est parti cette nuit.

Elle a un délicieux accent *foot-black*, la dadame, qui frise dans les oreilles et te mélodise l'âme. Avec ça et une culotte propre, elle t'emballerait n'importe quel julot normalement constitué.

— Vous voudriez probablement son nom ?

Le charme *number ouane*, de cette ravissante, c'est qu'il est inutile de lui poser des questions pour la faire parler. Elle jacte d'emblée ; sait d'avance ce que j'attends d'elle et le déballe avec une bonne volonté qui côtoie le sublime et même le dépasse sans mettre son clignotant.

La voilà qui cramponne un registre à couverture verte, glacée. Elle l'ouvre à la bonne page et son index n'a pas à fureter beaucoup pour pointer le blaze attendu.

— Jan Stromberg, dit-elle.

Qu'ensuite, la chère gentille personne clôt son beau cahier, puis croise ses mains potelées par-dessus et darde sur moi un regard modestement triomphant.

— Ah ! jolie dame, lui dis-je, si tout le monde se montrait aussi coopératif et efficace, le métier de flic serait accessible même aux intellectuels. Cet homme est venu réserver sa place lui-même ?

— Non : il l'a retenue par téléphone, mais il est passé
la retirer.

— Décrivez-le-moi, je vous prie.

Elle me campe le dénommé Stromberg avec un luxe de
détails encore pas collectés qui me le rendent présent au
point que je pourrais le tutoyer.

Je renfouille mes documents et remercie à chier partout, tant est vive, profonde, antirouille, ma reconnaissance. Et te lui déclare qu'à la première occasion, sitôt
mon enquête couronnée de succès, je viendrai l'attendre
un soir, à la sortie, et que nous irons fêter cela chez les
Grands-Ducs, à l'aide d'une choucroute garnie, puisque le
quartier est propice, et qu'ensuite je lui ferai visiter à
outrance mon entresol Renaissance, là que s'accumulent
les meilleures estampes japonaises de Paris et de sa
périphérie.

Elle glutit, déglutit, cafouille, gazouille, me brandit un
sourire-chef, minaude, m'inonde (hertzienne) et trans-
forme, selon toute vraisemblance, son slip en Spontex
pour la vaisselle. Que c'en est féerique.

Tandis qu'une jeune femme se la radine au guichet.
Bien saboulée d'un ensemble de chez Léonard, blonde, ou
faisant admirablement semblant, maquillage de rêve,
regard indéfinissable, vert ou noisette clair, selon la
couleur du ciel et ton état d'âme.

— Arabella Stone, j'ai une réservation pour Londres,
en première.

La préposée désourit, redevient professionnelle, far-
fouille là qu'il le faut et sort un bulletin de réservation
dont elle perçoit séance tenante le montant ; poum ! Voyez
caisse !

Et c'est alors que la belle blonde dit très précisément et
inexorablement ceci, que je laisse à ta méditation pleine et
entière :

— Puis-je me permettre de vous demander un renseignement ?

Et tout en le demandant, elle glisse un talbin de
cinquante points plié en quatre par le guichet.

— De quoi s'agite-t-il ? demande la réserveuse.

— Je voudrais savoir si un ami à moi a pu prendre son train, cette nuit ; M. Jan Stromberg.

Entendant cela, moi, tu me connais, je ferme les yeux afin de ne pas être déconcentré pour réciter les cinq *pater* et les trois *ave* que je dois acquitter à la Providence, T V.A. incluse, afin de la remercier de ce présent fabuleux qu'elle me fait à mon nez et à ma barbe.

La préposée me regarde comme si un Sénégalais lui proposait sa bite par le guichet en lui affirmant que c'est du chocolat suisse. Tu parles que ça la souffle, une pareille requête, à un tel instant. Moi là, enquêtant, et cette Arabella Stone qui...

Présence d'esprit, l'Antonio. D'une mimique, j'indique à la moustachue qu'elle doit conserver le contrôle de son self. Elle y parvient. Feint très bien de compulser son putain de registre. Déclare qu'oui. M. Stromberg a bien et bel retiré sa réservation.

La personne ne laisse rien voir de ses sentiments, elle murmure un fort civil merci et s'emmène promener en direction des quais, cherchant celui de son dur.

Pour lors, je ne perds pas d'étang.

— Il me faut trois places pour London, déclaré-je à ma conquête.

— Complet.

— Pas pour moi. Je réquisitionne, ma chérie.

Elle se laisse convaincre et me recède les tickets de la famille Dumollard. Me faut dès lors récupérer mes archers valeureux. Pour Béru, c'est pas dif : il est au rade du buffet en compagnie d'un porteur. Comme je me pointe, il sémaphore pour m'alerter.

— Hé ! j'ai du neuf, Mec. Not' gazier a bien pris le rapide de noye, Joseph Lempointe, ici présent, qu'j'ai l'honneur d'porter à ta connaissance, lui a coltiné ses valdingues. Pas vrai, Joseph ?

Acquiescement de l'interpellé.

— Bravo. Où est Pinuche ?

— Aux chiches, son melon, ça n's'arrange pas. Il nous fait une superbe entérite, le pauv' biquet.

— Il nous la finira dans le train. On file à Londres, départ dans trente-cinq minutes, quai 3.

— Alors faut qu'j'vais aller l'chercher, soupire Mister Mastar, cézigue-pâte, une fois aux gogues, pour l'ravoir, faut y mett' le prix, d'autant plusse qu'il s'est enfermé avec *Paris-Match* et qu'il a oublié ses lunettes.

Dix minutes plus tard, sur le quai 3, je vois radiner mes deux frères Karamazov. Pinaud qui n'a pas fini de se reculotter se déplace par petits bonds kangouresques. Le Gros, serviable, lui porte son veston et son chapeau.

⋆
⋆ ⋆

Le hasard continuant de bien faire les choses, nous nous trouvons dans le même wagon que Miss Arabella Stone, à trois compartiments du sien. Sous prétexte de fumer un Davidoff number two dans le couloir, je la guigne discrètement. Elle bouquine un livre en anglais, l'air très sérieux, les jambes croisées et la robe tirée sur ses genoux.

Je raffole des femmes convenables. Elles m'excitent. Les salopes également d'ailleurs. En fait, toutes les personnes du sexe ont leur chance avec moi, si moi je ne l'ai pas toujours avec elles.

Je fume en me disant que tout ça est un peu trop beau pour être véridique. Ça se goupille comme dans les romans de la *Collection Rouge et Or*. Généralement je rédige pas pour les lecteurs de cinq à dix ans, mécolle.

Pinuche sort comme un fou dans le couloir, le regard exorbité, le futal en dégrafade.

— Ça continue ! Ça continue ! il hurle : le melon, le melon ! Et cette saloperie d'omelette mexicaine !

Il est intercepté par le contrôleur qui pernicieusement se pointe à ce moment, pas rasé de frais, pas frais, blafard, les yeux soulignés de bistre, avec quatre dents absentes sur le devant du clavier, sa sacoche, son casse-noisettes et sa délicate odeur S.N.C.F.

— Billet, siouplaît !

Pinuche objecte :

— Je vais aux toilettes !

— Billet, je vous prille ! insiste le trôleur d'un ton qui exige tout de suite.

Pinuche se résigne à chercher son bifton en gémissant de trop de retenue. Ce faisant, il lâche son grimpant qui choit à ses pieds comme une jupe de pute venant de percevoir son dû.

Il a des gestes frénétiques.

— Je ne peux plus, je ne peux plus, il lamente. Je suis à bout de...

Il ne dira jamais de quoi, le cher chéri. La fusée volante ! Wagon de première classe ou pas, il est trop tard. La fatalité n'attend pas, ignore toute ségrégation, tout esprit de caste.

Pinaud part à dame dans le couloir, sous les yeux incrédules du contrôleur, d'une vieille dame armée d'un pékinois, d'un général en retraite, d'une adolescente à boutons, d'un marchand de vins et spiritueux. *Les Canons de Navarone !*

Je m'hâte de regagner mon compartiment, le laissant se démerder tout seul. Vroum, vroum ! Faisant la moto extrêmement cyclette avec son vieil anus fripé, ravagé, hors de commun usage, Pinuche. La bonne vieillasse, la relique très chère, l'exquis petit bout d'homme, chaplinesque un peu, moi je dis. Vroum ! Flaouche ! La fusée volante ! Commak, en plein train, devant des gens d'horreur, plus horribles que ses rejets. Et chlaofff ! Une autre, encore, invidable, dysentérique au-delà de tout critère, à en faire baisser les bras des toubibs les mieux qualifiés, diplômés de partout, surdécorés, moi je pense. Et vlan, vlan, vlan ! Par trois fois, par dix, par cent ! Poum badaboum ! Intarrrrissable ! Lampe à souder, moi je crois. Compresseur ! Peinture au pistolet ! Nouveau designiste de la Sénecéeffe. Peintre anal, hyper-supra-réaliste.

Chlofff, chloff ! C'est tout bon ! Futal baissé. Calcif déjà évacué par suite d'un précédent accident de parcours. Haute scatologie, mon fils ! Et qui n'a pas rêvé, une nuit, qu'il déféquait en public ? Qui ne s'est pas vu en grande chiasse, pendant une grande messe ? Qui donc n'a pas été contraint, un jour, devant les autruis rassemblés, de perpétrer la fonction libératrice la plus intime ? Beaucoup baisent en groupe, mais chier ? En dehors de quelques acteurs de ma connaissance ? Que moi, de mes yeux vus, j'ai eu le spectacle d'une dame, au musée de l'Ermitage à Leningrad. Je jure, j'ai des témoins à verser au dossier. En plein musée, la boyasse en perdition ! Vzzzztchouf ! Que même, je vais te dire : son bonhomme lui tenait son sac à main pendant qu'elle s'abîmait, psalmodiant des excuses à la ronde ! Lui, le plus emmerdé des deux. Il en morflait sur ses pompes, le très malheureux mari. Chez Catherine la Grande, Pierre le Grand, Brejnev-le-Grand. Sur les parquets encaustiqués. Chefs-d'œuvre en péril en la demeure. Poum ! A la santé de la Sainte Russie ! Un pauvre cul français, d'Aubervilliers ou de Toussu-le-Noble, Concarneau, La Verpillière, ou autres lieux plus ou moins communs. Tenait le sac à sa chieuse, le père Ducon. Que je le revois : cheveux gris, chemise verte à manches courtes. Consterné de venir de si loin conchier un endroit aussi auguste, Auguste par mégère interposée.

Et que tout ça, c'est la vie, vois-tu... Ils ont beau dire « Moui, Santantonio, mal embouché, malodorant, grossier personnage, célébrateur de la merde », et d'autres encore que je devine, comme je devine tout ce qui est dit et disable, fait et faisable ; ils ont beau, les gueux à faces miséreuses, ils ont beau, rien ne m'empêchera d'avoir atrocement raison, moi l'Antonio de passage. Raison d'égrener de la sorte, au long de mon court chemin d'un point à un autre, d'égrener ces choses de basse vie de nos vies rasantes, rase-mottantes, puériles, sottes et pusillanimes. Raison de voir et de déclarer ce qu'il voit, sans haine, et sans crainte de personne, ni des mots qui pourtant t'attendent au tournant.

Dans notre compartiment, Béru ronfle en trombe, en trompe aussi, et de même à cor et à cri, incommodant un ecclésiastique occupé à lire *Lui* sous couverture noire, et une mère de famille gavant de bonbons son chiare ; lequel ressemble à quelque grand nain tombé d'un fromager géant.

Je finis par l'imiter, sombrant dans une douce somnolence ferroviaire propice à la bandaison ; qui m'amène un rêve splendide, avec des gonzesses belles à n'en plus finir, nues et salingues à l'extrême.

Le tohu et le bohu du ferry m'arrachent.

Je rouvre les yeux sur un quotidien poussiéreux et qui pue. Il faut dire, pour étayer cette seconde assertion, qu'il y a à mon côté un Ecossais mal torché dont le kilt répand une odeur vivifiante de pompe à merde. Y regardant à deux ou trois fois, je m'aperçois que l'Ecossais en question n'est autre que César Pinaud. La Vieillasse m'adresse un hochement de tête misérable.

— Mon pantalon est foutu, dit-il, j'ai été contraint de le jeter par la portière.

— Et ça ? questionné-je en désignant le kilt frappé du sigle S.N.C.F.

— Une couverture que le contrôleur m'a prêtée après m'avoir fait signer une décharge et verser une caution. Comme nous sommes dans un chemin de fer qui dessert les îles britanniques, un homme en kilt passe inaperçu.

Confiant, il rallume son mégot.

Le curé demande à la dame la permission de baisser la vitre, biscotte l'odeur.

La dame dit que voui et que des gens pareils ne devraient pas voyager.

Pinaud, invexable en la matière (fécale), s'applique à lui narrer sa gastrite et le comment elle dégénère lorsqu'il commet la fatale erreur de consommer des denrées inadéquates. Ça finit par intéresser la personne. A force de gentillesse, Baderne-Baderne parvient à faire oublier son odeur.

Au bout de peu, après avoir beaucoup parlé de melon et

d'omelette mexicaine, on atteint Victoria Station. Chère vieille gare, si intensément anglaise !

L'édifice le plus britiche, sans doute, après Buckingham Palace.

Je rassemble mes auxiliaires (l'un s'appelle Avoir, et l'autre Etre) pour une conférence en rond (donc une circonférence) au top niveau.

— Attention, mes biquets, vous avez bien retapissé la gonzesse, n'est-ce pas ? Chacun de nous va entreprendre de la filer séparément afin de multiplier nos chances de ne pas la perdre. J'ai acheté des livres avant de partir, je vais vous en refiler.

— Si tu croyes qu'on aura l'temps de bouquiner ! grommeluche l'Enflure.

Je sors des billets à l'effigie de Mme Edimbourg née Windsor et démontre à sa Majesté Béru Ier qu'il y a livre et livre.

Là-dessus, le convoi stoppe dans des cris de ferraille, et un haut-parleur nasille en anglais que nous sommes arrivés.

Voyageurs sans bagages, nous déboulons sur le quaï. Londres a une odeur particulière qui est celle de la pomme de terre frite refroidie et celle du papier journal moisi, étroitement conjuguées.

Mais j'aime cette odeur. Cette ville est pour moi un continuel enchantement, sans que je sache au juste expliquer pourquoi. Je m'y sens bien, avec ce capiteux sentiment de retrouver enfin un pays que l'on a quitté depuis très longtemps, voire avant sa naissance.

Je me rapproche d'Arabella Stone afin de ne pas la paumer dans la foule. Ça me permet de t'affirmer une chose : elle a un cul inouï à force de fabuleusité. En le contemplant, tu comprends de façon formelle que c'est cela un cul, cela et pas autre chose. Les autres ne sont que tentatives avortées, malfaçons soldées, ébauches inabouties. Quel trésor ! Tu le suivrais jusqu'au bout du monde, ou mieux : jusqu'à l'Hôtel des « Deux hémisphères ».

Le flot s'écoule lourdement, comme toujours dans les

gares. T'as ceux qui ont peu de bagages et sont pressés, ceux qui en ont beaucoup et s'organisent pour les véhiculer, ceux qui en retrouvent d'autres, plus une chiée de catégories moins définies.

Arabella marche d'un bon pas, n'étant armée que d'un sac à main et d'une samsonit de faibles dimensions. Elle s'apprête à quitter le quai lorsqu'elle est brusquement stoppée. Si brutalement que je manque l'emplâtrer par-derrière, comme s'il s'agissait de Jacques Chazot. J'opère un pas de côté et la dépasse, mine de rien. D'un coup d'œil je retapisse la situasse : la fille vient d'être abordée par deux hommes et ils conversent à voix very basse. L'un d'eux tient quelque chose dans le creux de son énorme main et le montre à Arabella. Je continue mollement, freinant ma marche. Béru se pointe à ma hauteur.

— T'as vu ce micmac, mec ? il chuchote sans me regarder.

— Fonce à la sortie retenir un taxi !

Il.

A cet instant, un vieil Ecossais aux jambes musclées comme des baguettes chinoises me double en clamant :

— Vite ! Vite, the lavatories, please ! Le melon ! Le melon ! Oh ! Seigneur ! Where are the lavatories, please !

L'Ecossais se perd dans la foule pour aller déguster son destin.

Les escorteurs d'Arabella sortent de la gare. L'un d'eux adresse un signe discret à une voiture en stationnement, laquelle s'avance lentement, sous le regard placide d'un policeman imperturbable. Le trio prend place à l'arrière.

Je mate désespérément, cherchant le Gros des yeux, l'appelant de mes vœux, le hélant de mes ondes intrinsèches.

Il est en converse avec un taxi-driver ronchon. Lequel dénégate du chef.

Je me précipite.

— Police ! aboyé-je, suivez l'Austin noire qui démarre.

Le chauffeur, un type grisonnant, à la figure couleur

brique, me défrime à l'aide d'un regard quasiment blanc à force d'être trop bleu.

— Hé ! doucement, gentleman ! me rétorque-t-il. Pour qui me prenez-vous ?

— Pour un homme qui ne sera pas mécontent d'empocher dix livres de pourboire, réponds-je avec un à-propos forcené, en lui présentant le billet incriminé.

Le gars continue d'imperturber, toutefois il ramasse le bank-note et soupire :

— Je préfère ce genre d'argument, gentleman.

— Nous allons les perdre ! m'impatienté-je, constatant qu'il ne démarre pas en trombe, ainsi qu'il sierrait à la circonstance.

Mais le taxi-driver ne perd pas les pédales de son tacot.

— Ça m'étonnerait, dit-il, un régiment de horse-guards est en train de défiler, qui bloque momentanément la circulation.

Et voilà que son moulin mouline et qu'on cahin-cahate au fion de la voiture à suivre.

— Tu croyes qu' c'est des poulardins qui l'ont sautée ? murmure Béru, en montrant du doigt le pot d'échappement de l'Austin, stoppée effectivement à quelques encablures.

— De la manière dont les choses se sont passées on pourrait le croire en effet.

— Mais ?

— Non, rien...

Le Mammouth ne s'en laisse pas conter par mon laconisme, si je puis m'exprimer ranci.

— T'as un' aut' idée derrière l'bulbe, mec. Vas-y, accouche !

— Ça ressemble à une arrestation, les deux hommes ressemblent à des flics, mais ils ne ressemblent pas à des Anglais. A part ça la mer est bleue, le ciel est vert, ne laisse pas ta braguette ouverte.

— Y ressemb't'à quoi, si ce ne sont à des Rosbifs ?

— A autre chose, Gros. Dans la vie, on est britiche ou autre chose. Eux, ils paraissent être autre chose.

A cet instant, le chauffeur enrichi de dix livres, tout ce qu'il y a de sterling, déclare de sa belle voix de basse constipée :

— On dirait que la vie n'est pas toute rose dans l'Austin qui vous intéresse, gentlemen.

Je scrute. Effectivement, une portière vient de s'entrouvrir, qu'on tente de refermer. Elle se rouvre, on la relourde. Ça dure commako un instant, et puis celui qui veut la garder fermée a gain de cause et tout redevient O.K.

— Elle a essayé de jouer la belle, non ? remarque Béru.

— On le dirait.

On ne peut rien voir par la lunette arrière, car elle est pourvue d'une espèce de store, dit vénitien, dont les lames sont à la verticale.

— On pourrait p't'être y donner un coup d' main, non ? Biscotte si c'est pas une arrestation, c't'un kidnappinge, exaguete ?

— Voyons d'abord où on l'emmène. Je peux me gourer. Si par hasard il s'agissait de flics anglais, on aurait bonne mine de jouer les commandos suicides en plein London.

Les grands connards à cuirasses et crinières achèvent de défiler sur leurs canassons et la circulanche reprend.

Peu rapide, vu la densité du trafic.

Filer une chignole, c'est du velours. Suffit de l'avoir dans le collimateur et de ne pas se laisser biter à un feu rouge. Notre taximan est un expert. Il évolue dans le flot pestilentiel comme un suceur de bites dans une pissotière montmartroise. Faut lui voir le brio, à Johnny. La manière qu'il ne s'en laisse pas compter, filant un coup de jus quand les autres risquent de nous décoller, toujours en prenant soin de ne pas se placer pare-chocs contre pare-chocs. Il a la filature désinvolte. On est tombés sur un as.

Bérurier jette de fréquents coups de saveur derrière nous, qu'à la longue, son manège me les brise.

— C'est devant que ça se passe, Gros, pas derrière !

— Je m'demande si Pinuche est dans l'cortège, il murmure.

Et son chuchotis sent l'escargot à la parisienne.

— Penses-tu : au moment où on mettait sous presse, il cherchait les gogues de Victoria Station.

— J'espère qu'il les aura trouvés, conclut cet excellent homme.

Le pressentiment me biche depuis le bout de la rue.

— Je parie que c'est là-bas qu'ils vont !

Mister Dodu se penche pour mater la perspective. Il aperçoit alors ce que je vois, à savoir un immeuble opulent, sommé du drapeau soviétique.

— Elle s'est fait emballer par des Ruskis ? demande-t-il.

L'Austin passe un porche gardé par des militaires. Stoppe devant une porte qui finit par s'ouvrir. Disparaît dans les entrailles de l'ambassade d'U.R.S.S.

— C'est tout ce que vous vouliez savoir, gentlemen ? demande le chauffeur, flegmatique comme une photo officielle d'Elisabeth Deux.

Il n'a pas ralenti et poursuit sa route nonchalamment.

— Oui, soupiré-je, c'est tout.

— Tu voyes bien qu'on aurait dû attaquer leur putain d'diligence, au moment qu'la gerce a essayé de filer, me reproche l'Enorme.

Je ne réponds rien, me sentant trop culpabilisé pour.

Néanmoins, nous n'avons pas perdu notre temps. Nous savons que l'affaire du triple assassinat a des ramifications internationales. On a mis les pinceaux dans une gentille histoire d'espionnage, quoi. C'est bien ton avis ?

— Vous seriez gentil de nous ramener à Victoria Station, dis-je à notre pilote.

CHAPITRE TROYES (1)

— Pourquoi t'est-ce qu'on revient à la case départ ?
questionne Bérurier en descendant du bahut.

— Il faut bien récupérer Pinuche, non ? Et puis on va
tenter de renouer avec la piste du tueur puisque c'est ici
qu'il a débarqué.

— Tu croyes qu'lu aussi s'est fait alpaguer par les
Popofs ?

— Je ne crois rien, Gros. Comme souvent, j'agis avant
de penser histoire de me chauffer les feux. On peut faire
semblant de réfléchir, mais on ne peut pas faire semblant
d'agir, voilà pourquoi l'homme d'action est toujours
privilégié.

Il me répond qu'oui-bien-sûr-et-comment. Ensuite de
quoi, nous retournons à notre quai d'arrivée. Je m'apprête
à m'enquérir de Pinuche dans la région des vouatères
closets lorsqu'un groupuscule présidé par un immense
policeman capte mon attention.

Toujours se fier à ses pressentiments lorsqu'on est San-
Antonio.

Je m'avance et découvre trois porteurs vindicatifs, un
sous-sous-chef de gare impavide et un policeman embêté,
autour d'un père Pinuche dénudé jusqu'à la ligne de
flottaison. Au lieu de porter sa couvrante comme un plaid
(et bosse), il la porte comme un poncho (les marrons),

(1) *Dédié aux Troyens.*

c'est-à-dire sur l'épaule ; et rien — tout au moins pas beaucoup — n'est plus affligeant à contempler que ce pauvre bonhomme de grande gringalure en chaussettes malencontreuses et ravaudées par-dessus les ravaudages, tire-bouchonnesques sur ses godasses de frère quêteur ; cul nu (et quel cul, Seigneur ! Quand l'envie t'en biche tu nous en fais de belles !), à la veste fripée, au chapeau informe, penaud au bord d'une atroce flaque dont il est l'auteur et qui s'étale sur des bagages Vuitton imprévus pour une telle souillure.

Les porteurs invectivent dans cette fameuse langue de Shakespeare qu'on a mise depuis lui à toutes les sauces. Ils clament l'outrage, la malséance, le sans-gêne bien français de cet olibrius qui, entrailles en folie, est venu se déverser sur une pile de valises pour sleeping. Et ils déclarent qu'ils mettront leur syndicat au courant de cette forfaiture. Qu'au grand jamais l'on ne vit chieur de la pire espèce, venu des antipodes ou d'ailleurs, déféquer en plein Victoria Station ! Et que le bobby va se faire un sacré bon Dieu de devoir de merde d'arrêter ce triste sire à l'anus profanateur.

Mais le bobby, lui, est un peu à l'écart, mentalement, de ces exigences. Penché sur les résidus pilduciens, il paraît fasciné comme un laborantin sur une merde cholérique. A vrai dire, ce n'est pas la chose (puisqu'il faut l'appeler par son nom) qui le passionne, mais l'humble papier, tout juste froissé, qui la couronne et qui n'est autre que le portrait robot de Jan Stromberg. Pinaud, à court de faf à train, s'est résolu à cette extrémité. C'était cela ou son passeport. Pour des raisons qui lui appartiennent, il a donné priorité au portrait. Et ce portrait : tiens-toi bien, et tiens-moi également un petit peu, du temps que tu y es, ce portrait mal robot, le policeman athlétique semble le reconnaître.

Il dit, juste avec le haut du nez, presque avec ses seuls sinus :

— Well, welll, wellll, welll.

Et même, éperdument courageux (vive la vaillante

Albion !) il s'efforce de défroisser le document du bout arrondi de son soulier ciré impec.

Un qui juge au porteur, pardon : opportun, d'intervenir, c'est le fils unique de Félicie, ma chère Maman.

— Le visage de cet homme vous dirait-il quelque chose, sergent ? je lui questionne bien qu'il ne soit pas sergent, mais c'est presque toujours comme ça qu'on leur cause dans les romans policiers anglais écrits par des étrangers.

Il me détoise, ou me visage, au gré.

— Je vous demande pardon ? il fait d'un ton à constiper Pinaud.

Je lui montre alors ma brèmouze poulardière, plus un autre portrait robot de Stromberg.

— Cet homme a abattu trois personnes à Paris, sergent, et je débarque à London pour me mettre en rapport avec le superintendant Fouquetts de Scotland Yard, vieil ami à moi, car nous savons de source thermale sûre que cet homme a pris le train pour votre inoubliable capitale.

L'immense bobby défige un tantisoit autour des yeux et m'octroie un acquiescement nuancé.

— Well, well, well, well, il m'explique.

— C'est pourquoi, devant votre courageuse attitude qui consistait à vouloir déplier ce papier, bien qu'il ne se trouvât pas en situation d'être examiné, m'amène à vous reposer ma précédente question : le visage de cet homme vous dirait-il quelque chose ?

Que mon lecteur vénéré de bas en haut et borné de haut en bas ne s'émeuve pas en lisant mes répliques ampoulées (Mazda vous l'offre), mais je dois lui rappeler que nous sommes en Angleterre où rien n'est commun, excepté parfois les noms propres. Il est donc judicieux de se mettre à l'unisson et de se comporter anormalement si l'on veut espérer se noyer dans la masse.

Le policeman demande à brûle, tu sais quoi ?

Oui : pourpoint, nous sommes en royauté ici !

— Vous n'avez donc pas lu les journaux ?

— Quels journaux ? ai-je l'étourderie impudente de lui

demander, car pour lui, n'existent que les newspapers de
sa contrée.

— LES journaux ! me répond-il en mettant l'article en
majuscules d'affiches, chose qu'hélas je ne puis me
permettre en ce très modeste polar de merde, qu'on
m'imprimerait sur papier chiotte si tu n'y prenais garde,
mon lecteur assidu, calibré et estimable. Car c'est toi qui
as droit à la considération du néditeur et non pas moi,
humble forçat de la plume qui ne se permettrait même pas
de changer sa Rolls sans demander la permission à qui de
droit (s d'auteur).

— J'arrive d'un pays sous-développé, plaidé-je, et je
n'ai pas encore eu le temps de prendre connaissance de la
vraie presse. Que disent ces éminentes gazettes ?

Le bobby condescend, sans prendre l'escalier :

— Un homme ressemblant fort à celui-ci (il désigne le
portrait de Stromberg) est arrivé par le train de nuit.
Deux hommes n'appartenant pas à la police ont essayé de
l'appréhender. Mais ce gaillard leur a aussitôt tiré dessus
pour s'en défaire. L'un des deux hommes a riposté et a
touché l'homme à la tête, blessure sans gravité pourtant
puisqu'il est parvenu à s'enfuir à travers les voies. Les
deux hommes se sont également enfuis. Je me trouvais sur
le quai W, qui est le premier à gauche quand on arrive.
J'ai voulu me lancer à la poursuite de cet individu, car des
trois c'est lui qui se trouvait le plus à ma portée. Mais il
m'a braqué avec son pistolet, lequel comportait un
silencieux, j'ai dû renoncer car vous ne l'ignorez pas, en
Grande-Bretagne, nous ne sommes pas armés.

— Et les hommes qui cherchaient à l'arrêter ?

— Ils se sont fondus dans la foule. On a pu suivre leur
piste grâce au sang que perdait le blessé. Mais elle cessait
sur le terre-plein de la gare, près du lieu de stationnement
des automobiles.

— Et pas de nouvelles de mon « client », sergent ?

— On sait qu'il est monté dans le train de banlieue qui
dessert le Kleenexshire. On le sait car il a assommé le
convoyeur postal. Toutefois on ignore où il est descendu.

— Très intéressant, sergent.

— N'est-il pas ? répond le bobby.

Montrant Pinuche :

— Excusez-moi, mais je dois m'occuper de ce déséqui-libré qui se promène à demi nu et défèque sur les bagages du Trans-Ecosse.

— Vous seriez gentil de fermer les yeux, sergent. Cet homme est un de mes auxiliaires auquel des gangsters ont dérobé son pantalon après lui avoir fait absorber une pinte d'huile de ricin.

Le bobby marque sa stupeur en soulevant son sourcil droit d'un millimètre et demi.

— Well, well, well, well ! il répète avec ses sinus.

— Je me porte garant de lui, sergent. Existe-t-il dans les abords immédiats de Victoria Station un magasin où mon adjoint pourra faire l'emplette d'un pantalon ?

*
* *

— Tu t'sens comment-ce ? s'inquiète le Gravos.

Pinuche est un peu pâlot, mais il fait bonne contenance dans son grimpant rayé (se porte avec la jaquette, mais il n'existait rien d'autre qui fût à sa size).

Bérurier, tu le verrais, ça te foudroierait le grand zigomatique. Dans le grand magasin où Pinuche a réfugié son indécence, il a voulu absolument faire l'emplette d'un chapeau melon, pour, prétend-il, passer inaperçu. Si bien qu'il ressemble à Oliver Hardy comme un jumeau pas rasé ressemble à son frère qui l'est.

Tout le monde se détronche pour le mater. Malgré le flegme des indigènes, on voit naquir les sourires (1).

Pinaud étudie la question du Gros, qui se trouve immédiatement après les astérisques ci-dessus.

— J'ai encore quelques gargouillements, déclare-t-il, cela dit, je pense que tout danger est conjuré désormais, à

_____

(1) Corrigez pas, les mecs : j'ai bien délibérément écrit naquir, manière de me décramper de l'écrivain.

condition, bien entendu que j'observe une diète farouche
pendant quarante-huit heures.

— Quouha ! tu ne vas rien avaler ? s'effare Sa Majesté
meloneuse.

— Diète absolue : du vin blanc, uniquement.

Bérurier s'évente la trogne avec son beau chapeau neuf,
au minipoil luisant.

— Faut z'êt' courageux, complimente-t-il, moi, j'sus
t'inquiet pour la bouffe. Quelle idée sotte et grenue t'a
poussé à ce qu'on prenne ce dur, Sana ?

— C'est le train qu'a pris notre tueur, mon pòte.

— Et t'espères qu'il y est resté ? gouaille l'Enflure.

— C'est notre seule piste actuelle. J'essaie de me
mettre dans la peau de ce gars : il a réussi à fuir et a pris ce
dur en voltige. Il est dans le dernier fourgon : celui de la
poste. Il vient d'estourbir le convoyeur. Il sait que des
poursuites vont s'organiser. Ce train s'arrête dans toutes
les gares du comté, à chaque station, le convoyeur des
postes doit prendre des sacs ou en laisser. Donc, l'homme
est obligé de quitter le tortillard avant la première halte
qui est, d'après mes renseignements, Frottfor ou
Fayrluir.

— T'es magique, reconnaît Alexandre-Benoît, quand
t'esprimes on sent qu'c'est parabole d'Evangile...

N'abusant pas de l'hommage, je me porte à la fenêtre
du wagon. La voie ferrée filoche sous nous, et, de part et
d'autre, le paysage anglais, avec ses maisons identiques,
en essaims.

De la brique, et encore de la brique ! Jardinets.
Mimétisme absolu.

Comment qu'il fait, le manar beurré, le soir, pour
retrouver sa chaumière ? Je me suis toujours demandé.
C'est tout tellement, hallucinement pareil. T'en biches le
tournis de regarder.

Des briques, la même patine, le même brin de pelouse
verdoyante (tu penses : avec ce qu'il vase dans l'année) !

Je reviens à mon mouton, ou plutôt à mon loup.

Traqué, il était mister Stromberg. Blessé, et à la

trònche, ce qui n'est pas fastoche à dissimuler. Ça urgeait.
Il a sauté dans ce train en décarrade. Fourgon de bite. A
estourbi le postier. Donc, s'est évacué avant (ou à) la
première halte. J'ai lu le baveux, la police anglaise est bien
en harmonie avec la pensée santonienne. Les glands
d'esprit se rencontrent. Est-il descendu avant que le train
n'entre en gare ou bien...

Soudain je me mets à barrir (comme Lyndon) :

— Acré, les mecs, accourez tous !

Et moi d'engouffrer le couloir pour cavaler jusqu'à la
portière.

Tu devines ?

Tant mieux. Oui : fectivement, il y a des travaux sur le
ballast et nous n'avançons qu'à vitesse réduite. On devient
teuf-teuf d'autrefois, l'âge pionnaire du rail ! Mon instinct
inébranlable (pas comme toi, bougre de dégueulasse) !
m'hurle dans les trompes que c'est ici qu'il a pris la
tangente, mon redoutable client. L'occase est trop bioutifoule.

On roulasse à vingt à l'heure.

— Qui m'aime me suive ! crié-je.

Et je saute sur le ballast.

Bérurier agit de même au pareil. Impec. C'est fou, ce
gros larduche, l'agilité dont il peut faire preuve dans les
big circonstances.

Mais, manque de pot, le convoi accélère quand c'est au
tour de Pinuchet. En voyant la vieillerie sur son marche-
pied, agrippé (d'Aubigna) (1) à la barre verticale, tandis
que le train siffle trois fois, je comprends qu'il va se
sectionner les manches de guitares s'il se risque à nous
imiter.

— Non ! hurlé-je, ne saute pas, César !

Le chapeau dudit s'envole. Il tourne sa face grise dans
ma direction. J'ai le temps d'apercevoir la tache brune de
son mégot dans ce masque blafard. Résigné, il remonte à

---

(1) *Je fais aussi pour les lettrés fourvoyés.*

San-A.

grand-peine dans le wagon, luttant contre l'appel d'air de la vitesse qui veut le happer.

Bérurier va ramasser son chapeau melon, lequel a roulé au bord de la voie. Il l'époussette du coude, ainsi qu'il a vu faire dans les films consacrés à des histoires du siècle dernier.

Puis, recoiffé, souriant, hilare, trognu, dodu, content, il demande avec un calme presque britannique :

— Bon, et maint'nant, en quoi t'est-ce ça consiste, M'sieur l'baron ?

Je mate l'horizon qui m'est proposé.

Ça consiste en pas grand-chose. Ça consiste en rien du tout.

Un bout de semi-campagne réservée à des cultures maraîchères. Des fermettes peu espacées. Des gars dans les champs, de-ci, de-là, partout, penchés sur la terre albionne et malgré tout nourricière... J'ai beau visionner ces nabus mi-paysans mi-banlieusards, je me rends compte qu'aucun d'eux n'a remarqué notre descente en voltige. Bien trop occupés à poireauter, naveter, carotter et chouer. J'escalade le talus. De ce promontoire j'examine attentivement l'horizon en décrivant très lentement un 360 degrés. Je suis le tueur. J'ai la frite sanguinolente. La Rousse aux miches. Je viens de sauter du train. Je fais quoi ?

— Un canal... Une route... La campagne, les fermettes. Paysage anglais. Paysage de paix.

Et toi, l'artiste, je te pose la colle, que, merde, toujours à ma pomme de résoudre, ça commence à bien faire ! Mets-y du tiens.

T'es un habitué de « Monsieur Bricoleur », non ? Tu termines les choses, pas vrai ? Le bois blanc, c'est ton panard. T'es le parfait petit assembleur. Caisse à troulala outils, j'me goure ? Colle forte, alène fraîche ! Tu comporterais comment, à la place du tueur ? Hmm ? T'es làguche, sauté du dur.

Faut te planquer urgentissime. Tu cherches refuge dans l'une de ces maisons innocentes ? Tu vas à la route

pour faire du stop avec ton beau pistolet des dimanches ?
Ou bien...

Je dévale le remblai, traverse la voie ferreuse, franchis
l'autre remblai et me laisse démarcher en direction de
l'eau verte bordée de peupliers d'Italie paumés dans le fog
britiche, ces chéris.

Bérurier ahane, cependant que je vanne, derrière moi.
Il gronde :

— Où qu'tu vas ? Tonio ! Bordel, esplique un peu.
Toujours te courir aux meules sans savoir ni quoi ni
caisse, c'est chiottique.

Je me pointe au canal. Fascinant de langueur. Des
zoiseaux pépient. Le feuillage des peupliers fait dans la
brise un bruit de papier froissé. Un sentier qui fut peut-
être chemin de halage, à l'âge de la traction animale, suit
la flotte tellement paresseuse qu'il est impossible de
définir la direction du courant.

— Tu t'demandes où la paix niche ? jeudemotise le
Mastar, nonobstant son essoufflement.

Mon silence constitue une réponse.

— Tu croyes qu'il aurait pris un barlu, ton gazier ?

Je ne réponds pas. Le canal décrit une courbe, sur la
droite. Je suis le sentier jusque-là. Dès lors, j'aperçois une
écluse simenonienne dans les confins.

J'adopte pour m'y rendre un pas de chasseur alpin en
sifflotant la *Sidi Brahim*.

Comprenant que je n'ai pas envie de danser, Bérurier
reste à ma hauteur, calquant son allure sur la mienne.

A quoi bon jacter ? Je sais que ses pensées concordent (à
violon puisqu'elles sont en harmonie) avec les miennes.

Peu avant l'écluse, le canal comporte une sorte de
diverticule bordé d'ajoncs où un petit garçon effroyable-
ment anglais pêche à la ligne. Et ça paraît mordre car la
filoche qui trempe dans l'eau est pleine de grouillance
argentée.

— Hello ! je l'attaque, ça biche, fiston ?

— Convenable, répond-il en ferrant sec un gardon qui n'est déjà plus fretin.

Je le regarde glisser le vertébré aquatique dans sa nasse. Gentil môme couleur d'endive, avec des cheveux couleur carotte et des yeux couleur chou de Bruxelles.

Il a les dents tellement écartées qu'il doit y avoir du grabuge quand il clappe des lentilles, le gars Johnny.

— Vous habitez à l'écluse ?

— Non, je suis en vacances chez ma tante, la maison, là-bas...

— Et vous aimez la pêche ?

— C'est fantastique, assure cet acharné en embrochant un malheureux asticot à la fleur de l'âge de son hameçon.

Il règle son bouchon rouge et balance l'appât à la sauce.

— Vous pêchez tous les jours ?

— Du matin au soir.

— Vous n'auriez pas aperçu un type vêtu de sombre, ayant une blessure à la tête ?

— Non, pourquoi ?

— Il passe beaucoup de péniches sur ce canal ?

— Pas depuis le début de la semaine.

— Et pourquoi ?

— Grève de la batellerie, vous n'écoutez donc pas les nouvelles ?

— Si bien qu'aucun bateau n'écluse en ce moment ?

— Aucun.

— A propos d'écluser, murmure Béru, je me ferais bien une petite bièbière, demande-lui si y aurait pas un troquet dans les parages ou les alentours.

Négligeant cette intempestive requête, je continue de questionner le gamin.

— Puisqu'elles ne naviguent pas, les péniches restent à l'amarre, je suppose ?

— Ben, évidemment, grommelle l'autre d'un ton de vieillard importuné aux chiches pendant qu'il tente de vaincre un début d'occlusion intestinale.

— Et il y en a dans les parages, des péniches amarrées ?

Le bouchon dansille un brin sur l'eau peinarde, déclenchant à sa surface verdâtre des cercles concentriques.

Le môme, fasciné, tarde à me répondre.

— Hein, fiston, vous en connaissez dans le coin, des péniches ?

— O Seigneur ! Vous ne voyez donc pas que je pêche ! s'insurge mon terlocuteur.

— Excusez-moi, fiston, mais c'est très important.

Il abandonne son bouchon pour nous regarder carrément, chose qu'il n'avait pas vraiment faite jusque-là. Et il éclate de rire en apercevant Béru.

— Dites, c'est un clown, votre copain ?

— Y cause de moi ? maussadise l'Enflure.

— Il demande si tu es un clown.

— Biscotte, plize ?

— A cause de ton melon.

— Ça, c'est un monde alors ! On s'loque comme eux, ces pommes, et y viennent se fout' de not' frite ; je t'y filerais une mandale parisienne à c't'accident de berceau. Il a les tifs comme un pot d'minium et y nargue, merde !

Le môme constate la colère de l'Illustre et rangracie.

— Il y a une péniche à cinq cents pieds d'ici, en contrebas de l'écluse.

— O.K. ! fiston.

Je lui tends une pièce d'argent.

— Tiens, pour t'acheter des asticots.

Le môme la regarde, au creux de main, comme s'il s'agissait d'un poisson n'atteignant pas la taille réglementaire.

— Non, merci, il dit, ce crevard de moutard anglais, mes parents ne veulent pas que j'accepte quoi que ce soit des personnes inconnues. Papa dit que c'est comme ça qu'on finit par se retrouver avec une bite dans le train !

— Ton père est un homme de bon conseil, mon garçon, approuvé-je en renfouillant le carbure.

Et je le laisse dépeupler le canal, Oliver Hardy sur mes talons.

**

La péniche a pour nom *Queeny,* ce qui, traduit du britiche sucré, signifie « Petite reine ». Elle pue le goudron, la vase et le charbon, comme toutes les péniches du monde servant à véhiculer l'anthracite. Elle est plantée sur l'eau sombre, plus sombre encore, et son reflet noir se froisse lorsqu'un martin-pêcheur vient écorcher la surface de la flotte. Un poste de radio déconne dans la partie habitation.

Pour l'instant, le spiqueur cause des élections américaines avec un ton à déplorer le *May flower.*

Je m'engage sur la planche dansante servant d'échelle de coupée. Un merle des Indes anémié, plus déplumé que M. Edgar Faure, mais beaucoup moins bavard, somnole dans une cage crotteuse accrochée au rouf.

Notre arrivée dérange sa rêverie.

— En avant toute ! il nous déclare.

Telle est bien mon intention (qui prime l'action).

Ma voix succède à la sienne.

— Hello, quelqu'un ! appelé-je.

Mais, bien que m'étant exprimé dans la langue des Beattles, je ne reçois aucune réponse. Alors je dévale l'escalier roide comme un zob de cavalier mongol, et me voici voilà *in the* cambuse, endroit qui chlingue la friture refroidie et le tord-boyaux.

Deux personnes s'y trouvent : un grand bonhomme blond comme du pain mal cuit, tout vêtu de toile bleue, mal rasé, avec deux balles dans la poitrine et donc mort au-delà de toute espérance ; et, près de lui, sur le plancher, une petite dame fort aimable de son vivant, j'en jurerais à sa physionomie avenante, brunette, dodue de la partie inférieure, et qui devait se trimbaler une appétissante poitrine avant que celle-ci n'hébergeât également deux pralines de fort calibre, de celles qui font autant de dégâts qu'un coup de marteau dans un projecteur.

Bérurier qui se détronche depuis le pont se rend compte du tableau de chasse.

— Notre petit pote est passé par là, hé ? dit-il placide-
ment, en v'là un qui r'garde pas à la dépense.

Enjambant les corps en ces lieux exigus, je me livre à
une rapide inspection. Révélatrice pour un esprit sagace.
Le tueur a farfouillé dans l'humble garde-robe du péni-
cheman et il a troqué ses fringues contre une tenue
appartenant à sa victime. Et moi, malin comme un
homme, tu veux que je te dise ? Il s'est loqué en marinier,
l'artiste. Ses propres vêtements, il les a fourrés dans un
sac ou une valtoque afin de les remettre plus tard. Et il est
parti. Mais après avoir soigné sa blessure car je déniche
dans la boîte à ordures des tampons d'ouate imbibés de
sang.

Le Gravos a disparu de l'encadrement, là-haut. Ne s'est
même pas donné la peine de me rejoindre. Je l'entends
arpenter le pont en maugréant.

Lorsque je le rejoins, il m'annonce :

— Not' julot a filé av'c une péteuse japonouille qui
s'trouvait à bord ; t'sais, ces p'tites motos pliantes qu'est
commode à transbahuter...

— Qu'est-ce qui te donne à penser ça ?

— Viens voir !

Il me guide à la proue, ouvre la double porte d'une sorte
de placard extérieur dont la partie haute est garnie de
rayonnages chargés d'outils, de bidons, pots de peinture,
cordages, etc. Dans la partie basse, se trouve un compartiment avec un fort crochet. Une flaque d'huile lentement
constituée le tapisse. S'y trouvent encore un bidon d'huile
et un autre de mélange pour engins deux-temps (trois
mouvements). Dans la flaque huileuse on lit clairement
l'empreinte de deux pneus parallèles.

— Tous les mariniers ont un Solex ou une petite moto
pour s'déplacer quand t'est-ce y sont atterrés, déclare le
professeur Bérurier, chargé de cours de beaujolpif appliqué à la Faculté de Bercy. Là, çui d'ce rafiot remisait une
moto pliante vu l'peu d'espaçage et les deux pneus placés
côte à côte.

— Bravo, monsieur Sherlock Holmes, complimentéje, l'air de la Grande-Bretagne réussit à vos cellules grises. En somme, nous devons partir à la recherche d'un marinier sur une petite péteuse, ayant un colis quelconque attaché au porte-bagages.

Ainsi fut fait et nous prenons congé du pauvre merle des Indes orphelin, qui nous lance un glapissant :

— Paré à virer ! assez judicieux, moi je trouve.

★ ★

En l'absence de l'éclusier, qui profite de la grève pour rendre visite à ses vieux parents domiciliés à Guinessis-goodforyou dans le Devon (ou dans le Derrière, je m'en souviens plus très well), en l'absence de l'éclusier, reprends-je pour ne pas altérer ta compréhension, nous nous rabattons sur l'éclusière, une femme grandasse, blondasse et lasse, encore jeune, mais ça n'améliore pas son problème, laquelle prépare une assiettée de porridge à son chiare.

— Pardon de vous importuner, jolie dame, mais je voudrais des renseignements concernant le marinier qui s'est amarré en contrebas.

La « jolie dame » me vote un sourire ravi. Moi, j'aurais un film à tourner sur la vie d'un sanatorium pendant les années 20, je l'engagerais illico pour interpréter le rôle de la tuberculeuse-chef. Elle a le nez plongeant, les cheveux longs et raides et le regard comme deux fenêtres gothiques et un teint de pêche tombée de l'arbre un mois avant son mûrissement.

Cela dit, brave personne, accueillante et pas rechigneuse sur la conversation. Faut dire que dans sa boutique à manivelles, elle a pas tellement l'occasion de faire causette, surtout depuis la grève qui a interrompu le maigre trafic.

— *It is* mignon *your baby,* complimente le Gros en s'emparant de la cuiller, *let me* goûter, môme cette *good* poupou. Hmm, *very delicious. One* cuiller *for father !* One cuiller *for mother ! Two for* tonton Béru.

Tandis qu'il clappe le potage du petit invertébré de l'écluse, j'entreprends la maman.

Non : elle n'a pas aperçu d'homme blessé. Non, elle n'a pas entendu de détonations. Mais par contre, oui, elle a vu partir l'éclusier, un peu avant midi, sur sa petite moto verte. Elle s'est même demandé où il allait car au lieu de revenir à l'écluse pour prendre le chemin conduisant au village (en anglais to the village) et à la nationale, il s'est engagé dans l'ancien sentier de halage pavé (halage de pierre) lequel, lui, ne conduit positivement nulle part, sinon par les champs, et qui, même, devient inexistant à certains endroits, les broussailles ayant tout envahi.

Je gamberge, tout en admirant en sous-main les formes rigoureusement inexistantes de la dame. Des heures d'avance, le julot. A moto... Nous ne sommes qu'à une vingtaine de kilomètres de Londres. Jeu d'enfant d'y retourner, de se perdre dans la foule. Et, salut, baron, je te connais plus ! L'homme renoue avec son destin initial, deux morts de plus sur la conscience, simple péripétie de parcours... Tu parles d'une bête nuisible, mon neveu ! A compter du moment où un individu a perdu le respect de la vie, le typhon Turlure n'est pas son cousin. Il est un fléau permanent, en vadrouille. Le danger lâché de par le monde.

Béru furète dans l'humble logis, s'arrête au frigo qu'il inventorie d'un œil verbalisateur.

— C'est d'la tarte à quoi, ça ? il questionne en montrant un reste.

Comme la dame ne pige pas le français, elle ne peut lui répondre, alors il s'informe en goûtant. Ce doit être comestible, malgré les tristes apparences, car il engloutit ce reliquat avec bonne humeur, puis il biche une bouteille de bière et, compte tenu du lieu, l'écluse.

Et Sana, ton chérubin, qui continue ses phosphorations. Il est en compagnie du tueur, Sana. Il se dit des choses. Et plus il s'en dit, plus il lui en déboule dans la pensarde. A la benne basculante, qu'elles choient ! Vraoum ! Te m'ensevelissent, crénom ! Submergent l'homme. Lui dilatent l'esprit jusqu'aux outrances, au point de rupture.

— Attends-moi laguche, Gros, je retourne jusqu'à la péniche.

Il grogne qu'oui, la bouche pleine, le ventre valsant de contentement dans son bénoche.

Je m'offre un petit canter (bury) jusqu'au barlu, redévale l'escadrin. Les deux gentils morts sont toujours là, discrets, dépassionnés de tout. Je reprends ma fouille de guerre et de naguère.

Je sais ce que je cherche.

Ne le trouve pas.

Et, tu vas voir si la vie est bien faite : précisément, j'espérais bien ne pas le trouver.

Une devinette ? Cherche, mon gamin. J'empare une feuille d'impôts adressée au défunt marinier et qui fut scrupuleusement payée en temps et heures puisque le talon du mandat est épinglé au document, l'empoche et vais rejoindre mon Béru.

Il a changé d'occupations. L'est en train de lutiner l'éclusière pendant que le bambin joue avec le revolver du Gros (préalablement vidé de ses balles j'ose l'espérer).

Le môme me braque et fait « poum ! poum ! » (en anglais). Il appuie gauchement sur la détente qui elle répond « clic ! clic ! » (en français). Alexandre-Benoît caresse l'entrejambe de son hôtesse en lui roucoulant des trucs ensorceleurs. Manière de la convaincre de ses plantureuses et louables intentions, il lui a fourré son paf dans les mains et la Britannique s'extasie, n'ayant jamais vu le pareil, fût-ce sur une planche d'anatomie ; ignorant même qu'un tel calibrage existât dans l'espèce humaine.

— It is the biggest ! elle soupire.

Et d'ajouter, dans un français impeccable, car elle ne sait de notre dialecte que cette belle expression mais l'a apprise par cœur : « Oh ! là, là ! Oh ! là, là ! »

— Hello ! big zob ! déconcerté-je, l'heure n'est pas. Remballe et amène ta viandasse.

— En plein coup, non mais tu rêves ! proteste le

Mastar. Juste que j'allais embroquer c't'asperge! La planter superbe! Mézigue, tu m'connais, quand t'est-ce la mise à feu a été pratiquée, c'est malgache pour stopper les opérations. J'te demande just' deux s'condes pour ramoner Maâme; lu causer d'la France av'c mistress Bibite comme interprêtre. Surveille l'chiare, qu'y casse pas mon feu. T'as ben une piaule, poulette? Pas ici? Moui, c'est bien l'champ d'manœuvres. Amène tes montants, ma gosse, l'jour d'gloire est arrivé.

Il évacue manu militari sa nouvelle conquête avec une telle impétuosité qu'elle ne songe pas à rebiffer la moindre.

Pendant qu'ils opèrent leur jonction et coordinent leurs efforts en vue d'un règlement extatique du conflit qui les appose, je m'approche du téléphone enchié par des générations de mouches. Je compose le numéro des renseignements. Comme la sonnerie retentit, l'appareil explose sous mon nez, because le môme vient de valder une bastos oubliée par le Gros dans son composteur. A vingt centimètres près, je la morflais en plein poitrail. Fissa, je délivre le moutard de son jouet. Pas content, le voici qui se met à brailler. Tu crois que ça dérange les joyeux partenaires, toi? Fume! Le chant tyrolien d'un sommier en folie me prouve que la maison pourrait leur exploser autour des miches sans qu'ils en fussent affectés.

Mais Béru avait promis de faire vite et il tient parole. En moins de pas longtemps, la porte s'ouvre et Sa Majesté refait surface, l'air content, en se rajustant avec des mouvements édifiants à force de sobriété.

— On peut calter, annonce-t-il, j'sais pas si Madame a eu le temps d'annoncer la couleur, car j'ai pris mes z'aises en catastrophe, mais le plus gros a été tait.

— Tu avais laissé une prune dans ton flingue! aboie-je en montrant l'appareil téléphonique disloqué.

— J'ai entendu, admet le Mahousse. Ce sont des choses qu'arrivent quand on est pressé de fourrer une dame.

*
* *

Et bon, nous voilà sur la nationale qui va de Londres à
Branlbitt, à faire du stop comme deux glandus ; hélas, onc
ne songe à prendre en charge un tandem pareil. Quelques
belles âmes ralentissent, mais en voyant de plus près
l'homme au chapeau melon, elles se mettent à champi-
gnonner comme des folles.

Notre ultime espoir réside dans un bus compatissant
qui aurait l'amabilité de surviendre, puis de stopper. Pour
l'instant, ce sont des véhicules privés qui sillonnent la
campagne anglaise.

Nous marchons donc dans le jour finissant, d'un double
pas inajusté, remâchant des griefs obscurs, quand une
Rolls noire nous surgit à l'hauteur, égayée seulement par
sa plongeuse de l'avant et sa plaque minéralogique jaune
de l'arrière dont le numéro (si je puis dire est : ZOB 69
INQ). La somptueuse chignole s'arrête dans une moelleur
qui n'appartient qu'à ces étranges véhicules dont le
prototype remonte (ou plutôt descend des) aux rois
fainéants. A travers les vitres garnies de rideaux, on
aperçoit confusément des visages. Une portière de gauche
(n'oublie pas qu'en Grande-Machine la circulation est
inversée par rapport à la nôtre) s'ouvre et l'on voit paraître
tu ne devineras jamais quoi, qui, ni qu'est-ce. Tu donnes
ta langue ? Pas à moi, merci bien, elle est trop dégueulasse.

Pinaud ! Lui ! Soi-même ! Pinuche, la Vieillasse, la
Baderne, la Loque ! Mister Ganache ! Souriant, malin,
exquis.

— Psst ! nous crie-t-il.

Et nous psstons en courant.

Il s'est déjà racagnardé dans sa litière à bœufs. L'intérieur de la guinde sent bon la Vieille Angleterre. On croit
y entendre sonner Big Ben. Velours gris éléphant, acajou
sombre. Une merveille. Au côté de la Pine : une dame.
Affable, comme Esope. Assez forte, habillée d'oripeaux
de prix, tellement sobres que si elle se trouvait dans un

autocar on ne la verrait pas et quelqu'un s'assiérait par
inadvertance sur ses genoux. La personne a de la bouteille, mais millésimée. Cheveux gris-bleu, chapeau
confectionné à Londres par un type qui doit également
fabriquer des abat-jour. Un soupçon de poudre farineuse
aux joues, une présomption de rouge à lèvres mauve
autour de la bouche (et non sur). La gentry de là-bas,
quoi.

— Chère lady, permettez-moi de vous présenter le
commissaire San-Antonio et mon collègue Bérurier,
glousse le Débris. Mes amis, voici Lady Meckouihl, une
exquise personne de qui j'ai fait fortuitement la connaissance et qui a eu l'amabilité de me prendre en charge.

Nous nous hissons à bord du carrosse, lequel est piloté
par une jeune femme blonde, pas mal de dos, mais faudra
voir la devanture, vêtue d'un tailleur bleu marine et d'un
chemisier blanc.

Pinuchet nous raconte les circonstances. Lady
Meckouihl était allée attendre à la gare de Ping-Pong
Beach un vieil ami à elle, le révérend Ted Delar. En
apercevant Pinaud, la chère personne, myope sur les
bords, s'est jetée sur lui en le gratulant. Ainsi ont-ils lié ce
que tu sais, c'est-à-dire connaissance. Le révérend avait
raté le train. Pinaud a raconté nos tribulations à la lady
que l'affaire émoustille. Elle lui a proposé de le conduire
sur les lieux où nous avons sauté du train. Et le cher
bienveillant hasard a permis qu'ils nous tombent dessus.

A mon tour de la remercier. Elle parle très bien
français, ayant habité Nice lors de la création de la
Promenade des Anglais (appelée de nos jours Promenade
Max Gallo); se propose de nous aider dans la mesure de
ses moyens. Volontiers, chère madame. Si c'était une
éphéméride de votre bonté divine de nous conduire
jusqu'à l'aéroport de London, je vous en saurais un pot de
gré grand comme ça, avec vue sur la mer.

Ainsi est fait.

Climat agréable. Nous sommes sur les strapontins, le
Gravos et moi, manière de ne pas bousculer le couple

3

princier. Pinaud continue de se pavaner pour une infante défunte. La dame me raconte son château des environs de Ping-Pong Beach : douze mille hectares, 145 pièces... Elle est adorable, fofolle, comme le veut la tradition, comblée par cette aventure avec des *french boys* déboulant en trombe dans son veuvage morose, devenu institutionnel avec le temps.

Tout en devisant et en rollsant, nous atteignons l'aéroport.

— Rentrez-vous in Paris ? s'inquiète la chère femme.

— Je viens seulement opérer des vérifications, dis-je.

— A propos de ce vilain tueur ?

— Exactement.

— Que le Seigneur guide vos pieds ! fait-elle, ce qui n'est déjà pas mal pour une vieille rombiasse anglaise qui n'a pas séjourné en France depuis le percement du canal de Suez.

La chauffeuse m'ouvre la portière. Moi, je déteste que les souris exercent des métiers d'homme. Que ce soit celui de juge d'instruction ou celui de gardien de la paix. Alors, tu penses : chauffeur britiche, avec ce que cela comporte d'obséquiosité, je me sens dans mes petites targettes.

Cette commotion !

La piloteuse de Rolls est une fille de vingt-huit balais environ, belle à te faire craquer le futal sur la façade sud, d'un beau blond ardent, les cheveux raides, coupés au niveau des maxillaires, un regard indéfinissable, sombre d'un bleu très sombre. Et puis une bouche charnue qui va bien avec, et quelques taches de rousseur comme des étoiles dans une nuit d'été. Le pied.

Je la visionne jusqu'au fond des yeux, façon Giscard. Elle ne cille pas, mais accuse le coup. Elle a aperçu mon émoi, au fin fond de ma prunelle ardente : et tout ce qui pourrait en découler de pas désagréable pour elle si elle m'escortait en un lieu clos, pourvu d'une surface horizontale rembourrée.

— Ne vous donnez pas la peine, miss, lui fais-je. Chez

nous, ce sont les hommes qui tiennent la porte aux jolies femmes.

Elle rosit un brin, ce qui ajoute.

Moi, bon : boulot, boulot, hein ? Comme on chantait jadis dans *Les Forgerons : C'est pour la paix que mon marteau travaille.*

Je fonce dans l'aéroport, service du trafic. J'aborde des préposés, des préposées, je montre ma carte, mes trente-deux dents, mon affabilité, tout bien et je finis par être introduit auprès d'un monsieur exquis à tête de héros pour feuilleton télé sur les mers du Sud.

Bronzé, grisonnant, l'œil vague : un rêve. Le tout enveloppé dans une fine serge bleue pustulée de boutons dorés et t'as la panoplie archi-complète pour séduire les nurses en maraude sur le Mail.

Il me reçoit aussi aimablement qu'un fonctionnaire anglais puisse accueillir un fonctionnaire français. Je lui résume l'objet de ma visite. Il m'écoute sans se départir d'un sourire à toute épreuve qu'il arbore dans les réunions syndicales, chez ses amis de week-end et quand il baise miss Branton, sa secrétaire, celle qui a trente-quatre dents et pas de poitrine.

Chez cet homme délicieux, j'ai tout l'heur d'apprécier l'efficacité de l'ordinateur. Quelle merveille ! Même les curés, de nos jours, sont ordinés prêtres par I.B.M., et quel gain de temps !

En quelques minutes, après avoir tabulé quelques touches sur un clavier à pitrogneur concave, l'homme me renseigne.

J'ai vu juste. Très juste. Formidablement juste.

Oui : un certain Jan Stromberg avait réservé une place, en first s'il vous plaît, pour le vol d'Abidjan.

La destination, c'est lui qui me l'apprend. Je m'étais simplement gaffé que le tueur venait à London uniquement pour y prendre l'avion. Bon, donc j'avais bien deviné et il s'agissait de la Côte-d'Ivoire (dis voir pourquoi, gros malin !).

Le héros pour feuilletons sur les mers du Sud me

confirme qu'effectivement, cette réservation n'a pas été honorée.

A présent, on va voir si Tantonio a du génie ou bien s'il s'agit simplement d'un reflet de sa cravate sur le bassin des Tuileries dont le peuple s'empara à juste titre jadis. Sortant la feuille d'impôts du marinier, je questionne derechef (de gare) :

— Trouvez-vous une location, dans les récentes heures, au nom de Max Hyler ? Destination Côte-d'Ivoire, ou, en tout cas, l'Afrique occidentale ?

Il retabule son zinzin, le fortuite en crapoutant et le renseignement tombe :

— Yes, M. Max Hyler a pris l'avion pour Dakar à 4 heures P.M.

Un hymne gazouilleur me veloute les conduits. Bravo, mon Santonio d'amour ! Bravissimo ! T'as vu juste. Traqué, le gars s'est emparé des papiers du marinier qu'il venait d'abattre et, juché sur la moto pliante dudit, a foncé comme un grand fou jusqu'à l'aéroport. Il a pris le vol pour Dakar, mais c'est Abidjan, sa destination.

Culot phénoménal. Il ne recule devant rien. Détermination farouche. Il va de l'avant, l'artiste.

Je demande un horaire des zavions. Le pulse, compulse, propulse, convulse et révulse.

Ça s'organise fissa. On a un vol de nuit pour Abidjan, via Bruxelles. Décollage à 10 heures P.M. Et lui, là-bas, le tueur ? Logiquement, il se posera à Dakar dans deux plombes. Il m'est donc possible de tenter une démarche pour le faire alpaguer à l'arrivée. En référer au Vioque d'urgence.

Je remercie chaudeusement mon terlocuteur. Compréhensif, coopérateur, tout bien, bravo, au plaisir. A charge de revanche et de tout ce qu'il voudra. Si un jour il s'amène à Paris, qu'il me bigophone · je lui donnerai de bonnes adresses pour se faire sucer .

* *

Le Vieux m'écoute en onomatopant pour montrer son intérêt.

Lui, il chipote sur les compliments ; parcimonise. Pas trop gonfler la hure de ses subordonnés, sinon elle enflerait et il devrait dès lors monter en chaire pour leur parler.

— En somme, les Russes sont également sur cette histoire puisqu'ils ont tenté d'intercepter notre type à Londres et ont kidnappé sa complice.

— J'ai tout lieu de le penser, monsieur le directeur Votre raisonnement est admirable, léché-je un brin, manière de lui faire sa petite pipe quotidienne Vous avez la possibilité de faire intercepter notre tueur à Dakar, puisqu'il est encore dans les airs.

— Oui, mais par les autorités sénégalaises, objecte le Dabe.

— Ah, ça, évidemment, à moins que vous n'ayez là-bas quelqu'un de confiance qui...

— Hum, trop risqué, ce type est un coriace. Un vrai fauve.

« D'ailleurs nous ne sommes pas outillés comme il le faudrait. La France n'est plus ce qu'elle était, vous savez. En outre, je voudrais connaître la finalité de la chose. En nous emparant d'un maillon, nous interromprions la chaîne, n'hésite-t-il pas à métaphorer.

Et moi je trouve cette image de toute beauté ! J'imagine cette chaîne qui unit le mystère à la vérité, brusquement interrompue par la soustraction du maillon Stromberg. Oh ! là, là...

Le cœur m'en saute dans la cage à serin.

Et ce que j'avais personnellement envisagé m'échoit sous forme d'ordre tombé des plus hautes instances.

— Filez à Dakar, mon cher, et prenez du renfort.

— A Abidjan, patron, n'oubliez pas que c'était la destination prévue par ce massacreur.

— Soit, à Abidjan. Il serait souhaitable que vous arrivassiez avant lui. Le jeu des correspondances se prête-t-il à la chose ?

— Je viens de vérifier : il s'y prête parfaitement. Nous pouvons atteindre Abidjan au petit matin, lui n'y serait qu'à midi, arrivant de Dakar.

— Alors faites ! Faites... Et surtout, mon garçon, pas de bavure. Vous connaissez l'excellence de nos relations avec la chère Côte-d'Ivoire et son merveilleux président ?

— Tout sera fait en douceur, monsieur le directeur.

— Bien entendu, vous me détruisez cette bête malfaisante, n'est-ce pas ?

— Eh bien, nous ferons au mieux.

Il me souhaite *good luck* (en anglais dans son texte) et raccroche.

Je retourne à la Rolls pour un conseil de guerre.

Pinuche s'est gracieusement endormi sur l'épaule de Lady Meckouihl, laquelle, pleine d'indulgence, veille à ne pas troubler ce juste repos. Béru qui s'est acheté un sandwich mélancolique le mastique comme s'il s'agissait d'un toast au foie gras. La chauffeuse attend, son mignon cucul appuyé au capot de la voiture, pardon : de la Rolls Royce en fumant une cigarette à bout doré, preuve que sa rombiasse n'est pas trop à cheval sur le service.

Mon retour attise l'intérêt.

Je réveille la Pinasse et mets mes subordonnés au courant des derniers développements de la situasse.

C'est alors que la bonne lady hasarde sa belle main aux ongles mauves sur la manche de mon pantalon.

— Cher ami français, fait-elle, la vieille désœuvrée que je suis a une requête à vous présenter.

CHAPITRE DESCARTES (1)

Soleil blanc. Ciel blanc. Population noire vêtue principalement de bleu. Terre ocrée. Chaleur Zonzonnements d'insectes inconnus titubants. De la buée flotte comme un voile de tout ce que tu voudras, au-dessus des pistes noircies par le caoutchouc des boudins. Quelques avions en escale s'alanguissent dans la folle lumière douloureuse comme de l'acide. Autour des monstres, des hommes s'activent mollassement. Torride, tout ça.

Dans l'aéroport une rumeur tournique, se déplace, s'enfle, et puis se coupe de brusques accalmies quand un haut-jacteur virgule un message.

Je me suis renseigné : le citoyen britannique Max Hyler est bien à bord du vol d'Air Afrique en provenance de Dakar.

— Vous me le montrerez, n'est-ce pas ? implore Lady Meckouihl suspendue à mon bras.

— Naturellement, madame, toutefois je compte sur votre impassibilité britannique pour ne pas lui accorder la moindre attention.

Nos précautions sont prises.

Dûment.

A l'extérieur, deux voitures attendent.

Que nous avons louées. L'une est occupée par mes

(1) *Dédié aux cartésiens.*

collaborateurs, l'autre par Samantha, la chauffeuse émérite de Lady Meckouihl.

Car elle est du voyage la merveilleuse, sa maîtresse
(comme on disait puis au temps de l'empire des Indes) ne
se séparant jamais d'elle. Elle lui sert de dame de
compagnie, de secrétaire, de femme de chambre et d'un
tas de je ne sais quoi. P't'être que si la douairière bectait
du gigot à l'ail, elle groumerait l'exquise tarte aux poils à
la miss, mais elle ne paraît pas turbulée par les sens, la
mère. C'est devenu, avec le temps, une gentille perruche
jacassante, papoteuse, avide de mésaventures à raconter à
ses amies ladies, le soir, devant la cheminée monumentale
de son château qui remonte à Charles VI.

Donc, Samantha attend. Nous sommes convenus que
nous prendrons place à son bord pour filer Stromberg.
Béru et Pinuche, mes deux bons petits diables, seront là
en couverture, pour le cas où il y aurait du mou dans la
corde à nœuds.

Et l'haut-parleur déclame l'arrivée du vol que nous
souhaitons.

Peu après, l'avion blanc surgit du ciel blanc et se pose
impec. Il roule pataudement jusqu'aux bâtiments devant
presque lesquels il s'arrête.

Passerelles roulantes, la porte bascule.

Tu me croiras si tu voudras, comme dit mon ami
Bérurier, et si tu t'y refuses tu as toujours la ressource de
te déguiser en petit télégraphiste grec et d'aller te faire
sodomiser par M. Roger Peyrefitte (comme dit l'autre : si
ça ne rapporte rien, ça bouche toujours un trou) ; tu me
croiras donc ou pas, libre à toi. Et d'abord, pourquoi ne le
voudrais-tu pas, merde ! Si tu as acheté ce livre, c'est pas
pour venir m'y chercher des noises, si ?

Donc, pour tout reprendre bien comme il faut : tu me
croiras quand je te dirai que Jan Stromberg est le premier
gus à quitter l'appareil.

Il ne porte plus sa tenue marinière, mais son complet
sombre. Juste, il a acheté une casquette irlandaise à petits
carreaux noirs et blancs à l'aéroport (je présume) de

Londres, ainsi que des lunettes teintées, à moins qu'il ne les eût dans ses poches. Je l'identifie sans le moindre coup férir car non seulement le portrait robot exécuté sous la dictée des bistrotiers est parfaitement ressemblant, mais en outre (cuidance) il a une plaque de sparadrap au-dessus de l'oreille gauche.

— *Ecce homo,* dis-je à ma compagne, laquelle a appris le latin à l'école communale de Pompéi, avant la catastrophe que tu sais.

Elle reste de marbre (ordinairement j'ajoute « dans ce cas rare », mais j'ai décidé de ne pas déconner à l'intérieur de ce très beau livre, pour le cas où tu voudrais le faire relier — pas en chagrin surtout — à l'intention de tes descendants, si toutefois tu parviens à éjaculer un jour).

Je profite de cette petite pose-café-parenthèse pour te signaler que si j'ai accepté la compagnie de la lady et de sa suivante en aussi périlleuse expédition, c'est justement parce que nous avons affaire à un type hors série, aux abois, prêt à tout, qui tue comme il respire et se méfie de tout le monde, y compris de son ombre ajouteraient certains confrères que j'aurai la charité (sur Loire) de ne pas citer, pour éviter d'écorner leur image de marque déjà pas mal floue.

Il a beau être sur le qui-vive, l'apôtre, crois-tu qu'il ira se gaffer d'un groupe comprenant une vieille personne de la haute aristocratie anglaise ?

Il avance à pas rapides vers la sortie.

Son passeport à la main.

Je crois apercevoir qu'il s'agit d'un passeport américain.

Et je te parie le gros machin que tu vois là contre le tout petit perdu dans ton slip qu'il a réintégré sa véritable personnalité, maintenant qu'il se trouve sur le continent africain !

Prudence ! Il a dû combiner que son forfait de la péniche aura été découvert et qu'on a pu s'apercevoir de la disparition des fafs du marinier Donc, dès Dakar, il a changé de blaze. Il se présente à la douane où un grand diable noir, en uniforme, kibour à l'aplomb de Vénus, examine les passeports.

Pas de problème pour le voyageur sans bagages.

Quelques mots échangés avec le gusman saboulé militaire d'élite et mon brave tueur est libre de ses fèzes et zestes. Je l'examine tout à loisir Encore une fois, son portrait robot est de qualité. Il ne lui manque que la parole, la couleur, un gros grain de beauté à la mâchoire, et un certain retroussis des cheveux sur le devant de la devanture pour ressembler à un portrait tout court.

Moi qui connais les hommes (et les femmes donc !) je peux te dire que ce type est un animal à sang froid et il suffit de suivre les lignes de son visage et cette espèce de barre horizontale unissant ses yeux afin de constituer une visière à son regard pour comprendre qu'il est effectivement un envoyé de la mort ici-bas, le messager de tous les démons de l'enfer. Il bute comme tu manges une gaufre. N'a pas d'âme, ou alors une qu'est pas racontable et qui échappe à tous les critères.

Lady Meckouihl, suspendue à mon bras, comme une perruche déplumée à son perchoir, murmure :

— Il est terrible, n'est-ce pas ?

— Pire que cela, réponds-je.

Mon tueur ne se presse pas de sortir. Il est allé à un guichet et parlemente avec une adorable fille noire dont le visage et les loloches pointées comme deux mitrailleuses jumelées font davantage pour la gloire de l'Afrique que le Maréchal Amin Dada, ce gros con plein de tripes faites pour être déroulées sur un trottoir au soleil, mais que le Créateur continue de laisser en tas dans sa grosse besace. Et puis que veux-tu que j'aille dire contre les desseins animés de la Providence, moi l'humble pêcheur à la truite si souvent bredouille et bredouillant, non, hein ?

De loin, je mate l'inscription dorée dans du plastique fumé posée sur le guichet de la ravissante noiraude si jolie, si bioutifoule, que quand je pense à elle j'ai mon cœur et mon slip qui se gonflent.

Y a écrit dessus « *Ivoire Fly* », *vols privés.* Mon sang ne fait qu'un tour, mais alors de toute beauté. Que le Tour de France et tes tours de con ne sont rien, en comparaison.

Voilà mon gazier qui s'apprête à affréter un vol particulier !

Sans blââgue !

Ses pourparlers continuent avec la très jolie. On remplit des formulaires, il va au bureau de change et troque des dollars contre des francs C.F.A. Puis il revient douiller la mignonne, laquelle, pendant ce temps, téléphone.

Lorsqu'il a souscrit à toutes les modalités, il va écluser un grand noir au buffet de l'aéroport.

Visiblement, il attend que son taxi soit à disposition.

Alors, bibi mézigue, héros incontesté des sous-littératures, de m'annoncer au guichet de la toute merveilleuse Mlle Solange Cacabo (son nom est écrit dessus), laquelle m'accueille avec un sourire que je lui boufferais sans sucre s'il n'y avait ce guichet et toute une chierie de convenances entre elle et moi.

Je procède dans l'ordre : charme indicible, carte de flic :

— Jolie Solange, M. Stromberg vient à l'instant de fréter un avion-taxi, n'est-ce pas ?

— Oui, pourquoi, vous le connaissez ?

— Pas encore mais il est inévitable que nous fassions connaissance dans les heures qui viennent. Pour tout vous dire : je le file depuis Paris. C'est un monsieur d'un genre tout à fait spécial.

Elle a un rire éclatant, très joyeux, presque aussi beau que l'accouplement de deux chevaux blancs dans une prairie anglaise, au soleil.

— Je lui ai trouvé une drôle de tête, en effet, convient la jolie Solange.

— Le pire c'est ce qu'il y a à l'intérieur, assuré-je. Pour quelle destination, cet avion ?

Elle n'hésite pas :

— Pour Sassédutrou.

J'acquiesce et me penche sur le comptoir recouvert d'une plaque de verre sous laquelle s'étale une brème de la

Côte-d'Ivoire. Sassédutrou est une petite ville au bord de l'océan, assez proche du Libéria.

— Il va me falloir un zinc, à moi aussi, dis-je. Quand décolle le sien ?

— D'ici une demi-heure.

— Le mien devra décoller un peu avant, mon petit cœur, c'est indispensable.

Elle hoche la tête, ce qui me projette des rayons de sa beauté à travers la gueule ; je m'essuie d'un discret revers de main.

— Ça ne va pas être possible, dit-elle. Question de la rotation : nous n'en avons qu'un à disposition pour l'instant.

La contrariété me dévore le tempérament à pleines chailles.

— Quand pourra-t-on disposer d'un second ?

— Il faudra attendre le retour de celui de M. Stromberg.

— Alors annulez le sien, prévenez-le que l'appareil est impropre à décoller tout de suite, qu'il ne pourra pas partir avant plusieurs heures. De deux choses l'une : ou bien il accepte d'attendre, en ce cas j'emprunterai son appareil, pour aller le premier à Sassédutrou, ou bien il renonce, et je renoncerai également.

Elle secoue la tête.

— Ce vol est déjà programmé, je n'ai aucun motif pour l'annuler, ce qu'il faudrait faire si ni lui ni vous ne l'honorez. Il y aurait en ce cas un dédit à régler...

— Je le réglerais.

Elle hésite à me dire ses doutes. Alors je sors mon artiche de ma vague.

— Je vais vous laisser la somme en dépôt, d'accord ?

— D'accord.

* * *

Lady Meckouihl, Samantha sa maîtresse-Jacques, Béru, Pinuche et moi attendons dans un coin discret de l'aéroport le résultat des pourparlers. J'ai vu la belle Solange mettre un écriteau à son guichet, « Fermé quelques instants », et abandonner ce dernier pour aller parlementer au bar avec mon sanglant guignol. Sa silhouette, entière, mérite le détour par Abidjan, espère ! Feu du ciel, ce prose ! Quand elle marche, son admirable fessier ressemble à de la musique de Mozart qui se serait faite cul.

Elle reste un bout de moment auprès du tueur. Stromberg se fend d'un café. Sachant que ce type est pourchassé par la police, la môme, tu penses qu'elle biche en compagnie d'un sagouin de cette espèce. Les nanas, c'est le sensationnel qui les a. Elles ont besoin d'émotions fortes. Aussi prend-elle des poses, des mines. Ça bavasse guillerettement.

Pourvu qu'elle ne risque pas un mot de trop qui me casserait la cabane !

— Du train qu'ça va, ta noirepiote, ell' va lui faire les pompes ou un' pipe ! rechigne Bérurier.

Lady Meckouihl assure que tout cela est follement excitinge et qu'elle ne regrette pas d'avoir vécu jusqu'ici pour connaître pareille aventure. Pinuche, lui, saboulé en lord décadé somnole autour d'un mégot neuf stoppé à la bonne dimension, et que ses pauvres lèvres d'ancien constipé transforment doucettement en une sorte de limacette filamenteuse.

Au bout de presque vingt minutes, la noire beauté rallie sa base. Comme Jan Stromberg la suit du regard, je prie Lady Meckouihl d'aller s'enquérir pour moi des résultats de l'entretien. Afin de dissiper les doutes éventuels de Solange, je lui remets ma carte. Notre vieille amie part donc aux nouvelles, sublime avec ses fringues grisailles marquées de mauve, ses rides colmatées au plâtre de Paris et ses manières victoriennes.

Elle parlemente assez peu de temps.

— Votre outlaw est d'accord pour ne partir que cet après-midi, mon cher, annonce-t-elle en revenant ; quant son avion, il est à notre disposition, embarquement immédiat.

Tandis que Mémé me cause, je regarde Stromberg quitter le bar. Il marche vers la sortie d'une allure nonchalante. Moi, tu connais mon côté chien de chiasse, non ? La perspective d'abandonner provisoirement la proie pour aller l'attendre ailleurs me court-jute soudain le tempérament.

— Chère lady bienveillante, nous allons nous organiser de la façon suivante, impulsé-je : partez pour Sassédutrou en compagnie de mes deux adjoints. Moi je vais rester ici avec miss Samantha, si vous n'y voyez pas d'objection, pour suivre notre homme dans la ville. Un couple ne lui donnera pas l'éveil. Quant à toi, Béru, parvenu à Sassédu-trou, organiste-toi : trouve une voiture et attends l'arrivée du gus. Vous ne le perdez pas, surtout, sinon c'est la Bérézina. Je m'arrangerai pour atteindre ce bled presque en même temps que Stromberg. Allez, tchao !

J'empoigne Samantha par une aile.

— Come with me, darling, quickly !

Du moment que sa patronne agrée, elle ne moufte pas, la gentille. Docilitas ! Rarissime, à notre époque de rébellion tout azimut. Que jamais personne n'est content ni d'accord sur rien. Tous à rebiffer, dénigrer, hargner en chœur, les cons vomiques. Toujours que ça lave plus blanc, que ça coûte moins cher.

Elle, Samantha, impec, stricte, belle et d'une réserve qui ferait chier tout ce qui subsiste de race indienne dans les studios de la Paramount, je te prie de croire, me suit, sans mot redire, sans dénigrerie d'aucune sorte, même mimiqueuse. Elle sait tout, mais ne pose pas de question. T'imagines ce bonheur ? Une gonzesse silencieuse. Viens avec moi ! Elle vient ! Fais ceci cela ! Elle le fait. Le lot rare. Du surchoix. Pour peu qu'elle baise bien, c'est du produit sans équivoque. L'aubaine du siècle. Tout le monde en voudra : les jeunes, les vieux, les sémillants, les engourdis, les dégourdis : ceux qui font l'amour avec une chopine de cheval dure comme une tringle à rideau, et ceux, déliquescents, qui le font avec un entonnoir.

Nous sortons, agressés durement par l'intensité de la chaleur, déjà reçue en pleine poire lorsque nous avons débarqué sur la chaude piste. Il fait brûlant, les mecs. Les chauves seront rapidos déguisés en œufs durs s'ils oublient leur bada.

Le tueur s'engouffre dans le premier taxi de la file : une Pijot 304 plus cabossée qu'une poubelle d'achélèmes. Samantha n'attend pas que je me mette à genoux pour la supplier de dégager sa tire de louage. Elle est déjà au volant, la gredine. Pousse la serviabilité jusqu'à m'ouvrir la portière, depuis l'intérieur.

Je grimpe et nous voilà partis à la suite du « S'en-fout-la-mort » (c'est ainsi qu'on appelle les chauffeurs de bahut, à Abidjan, je te l'ai déjà raconté dans un autre chef-d'œuvre que le titre m'échappe, car je me rappelle bien toutes mes conneries, fie-toi ! Quand tu ligotes un truc qui te fait penser à un autre, dans mes polars, sache bien, Dunœud, que c'est hautement volontaire. Tiens, je te prends Lady Meckouihl. Tu te dis : mais, dans *Meurs pas, on a du monde* il a déjà mis une vieille dame désœuvrée sur son enquête, l'artiste. En effet, et c'est parce que le truc m'a plu que je réitère. Un peintre, plus il est grand, plus il brosse un même sujet. Pour fouiller la chose, tu comprends ? Mais qu'est-ce que j'entreprends de t'expliquer puisque tu t'en branles à deux mains ! Bon, pousse-toi que je referme la parenthèse. Voilà, merci.)

On suit donc le « S'en fout-la-mort ». Et, contre toute attente, au lieu de mettre le cap sur la ville, magine que le taxi vire sur la gauche (par rapport au bouquet de palmiers-dattiers qui est là en face) pour prendre la route de Kestady.

Monde merveilleux, monde coloré et qui paraît tou-jours en liesse. Ces amis noirs vêtus de couleurs chatoyan-tes, pleins de grands rires qui leur gambadent dans la figure, comme ils sont vivants et contents de la vie ! Qu'ils soient empilés dans des autobus, ou attelés dans les

brancards d'une carriole ; couchés dans un brin d'ombre
ou au volant de bagnoles vociférantes qu'ils ont acquises
plus pour leur klaxon, semble-t-il, que pour leurs quatre
roues !

Un court moment je m'abandonne à la félicité ardente
de l'Afrique retrouvée. Patrie du soleil ! Source de toute
vie. J'en prends plein les vasistas, plein le cœur. Un
profond contentement m'empare. C'est, tu sais quoi ?
Chouette. Simplement, mais bellement. Chouette à n'en
plus pouvoir.

Bientôt, les constructions s'espacent. La végétation se
clairsème. La nature s'aridifie. On roule plein gaz sur un
interminable ruban noir que la chaleur blanchit dans
l'éloignement.

Et Bibi, reprenant en main ses préoccupances, de se
dire que si on continue longtemps de la sorte, le tueur va
nous retapisser que ça ne fera pas un pli. Ces fauves-là
reniflent le danger d'instinct. Déjà, je suis certain qu'il
nous a vus décarrer de l'aéroport à sa suite.

— Il serait bon que vous le doubliez, dis-je.

Samantha acquiesce d'un bref hochement. Sauter ce
bahut, qui roule à fond de plancher, n'est pas fastoche.

Nous sommes dans une chignole ricaine un peu fatiguée
par les ans, l'Afrique et des clients sans vergogne.
N'empêche qu'elle gagne du terrain sur Stromberg. De
plus, ma pilotesse possède un tout beau coup de volant.
Elle sait négocier les virages, décélérer sans freiner,
composer avec la boîte automatique en enclenchant la
vitesse montagne pour les reprises durailles, ou bien en
enquillant à fond le champignon pour un rush opportun.
Bref, au bout d'une pincée de kilomètres linéaires nous
parvenons à passer le taxi endiablé.

— Vous permettez ! fais-je, juste avant que ne s'effec-
tue l'opération.

Et de passer mon bras gauche sur l'épaule de Samantha
en laissant aller ma tête contre son creux délectable.

On fait couple d'amoureux en conquête de Côte-
d'Ivoire.

— O.K.! bravo. A présent conservez deux cents yards d'avance ; et si le gars joue à vouloir nous doubler, luttez un peu, mais donnez-lui satisfaction.

Nouveau léger branlement de chef. Moi, me connaissant comme je te connais, tu parles que je m'abstiens de retirer mon bras. Qu'au bien contraire du bout des doigts, je lui caresse la nuque, Samantha. Peau douce où frivolent des duvets annonciateurs de pilosités plus captivantes. Grand dégueulasse de Sanantonio, tu vas dire, toujours le cul en tête ! Eh ben oui certes, et tu ne changeras pas. La bibite en main, comme un garde suisse sa hallebarde. Stoïque ! Paré. Et t'approche pas de trop, l'ami, si tu ne veux pas morfler un coup de gourdin sur la frime !

Elle pilote, toujours impassible, à la fois détendue et vigilante. Qu'heureusement, car un chien qui ressemble à un chacal dépaysé nous traverse la route pile devant. Tout autre aurait eu le réflexe de freiner à mort et de nous expédier dans les palétuviers roses ! Elle, pas. Te biche le cador comme s'il s'agissait d'un petit nuage laissé par un pot d'échappement, sans dévier de sa trajectoire. Il se produit un choc sourd. Le clebs va valdinguer dans des cactus où il se paie une agonie de première classe. Notre chignole n'a pas dévié. Rectiligne. Tenue de route assurée.

— Mes compliments ! fais-je à mon émérite. Vous êtes la reine du volant.

Mince sourire de l'intéressée. Je coule délibérément mes phalanges dans son chemisier. Elle a un mouvement de cou pour me signifier de ne pas continuer. Délicat, je reviens à mes positions précédentes. Chaque chose en son temps.

— Vous avez vu ? me dit-elle.

Enfin elle parle. En anglais, que veux-tu, mais elle parle. Du menton elle me désigne le rétroviseur de la vieille Buick, grand comme la glace d'une coiffeuse. Stupeur ! Le taxi s'est arrêté à l'endroit où nous avons percuté le toutou. Stromberg en est descendu et il court vers l'animal, à travers les cactacées, suivi du chauffeur.

Ironie des choses, contresens de la vie. Ce tueur implacable fait montre de sensiblerie avec les animaux ! Il est capable de bousiller froidement la population d'un groupe scolaire, mais un chienchien blessé lui met le cœur en berne.

Tu trouves ça paradoxal ?

Moi aussi non plus.

— Continuez ! j'enjoins (de culasse, comme j'ajoute immanquablement) tout en ralentissant un peu. Tant que la route est droite nous n'avons pas de souci à nous faire, c'est seulement en cas de bifurcation qu'il nous faudra aviser.

On franchit une dizaine de bornes. J'ai beau regarder le rétroviseur, le taxi ne réapparaît toujours pas. Et puis, l'inévitable arrive : une seconde route déguise la nôtre en fourche.

— Vous voyez ça comment ? demande Samantha, en ralentissant.

Tu connais le père Plexe ?

C'est moi.

Jouer la chose à pilou-pilou serait de la démence. Stopper et attendre l'arrivée de notre client équivaudraient à écrire à la peinture blanche sur le goudron : « Attention : ici poulet » !

Un peu comme tu avises, en abordant des bleds : « Gendarmerie Nationale à 200 m ». Gentil de prévenir. Moi, j'ai jamais caché ma sympathie pour les gendarmes. Ils n'ont pas la même mentalité que les autres flics.

Chiquer à la crevaison en sortant le cric et la roue de secours ? Stromberg ne sera pas dupe. S'embusquer et attendre son passage ? Le terrain est nu, sans arbres. Quelques cactus (du grec kaktos) impropres à planquer notre chignole ; point à la ligne ! Je scrute le fond de la route. Rien ! Il lui fait du bouche à gueule, au chien ? Lui met des attelles ? L'a embarqué à l'hosto ?

Pour lors, les minutes s'écoulant, mon tourment change

de forme. Je n'ai plus peur qu'ils nous voient là, à l'attendre ; mais peur de ne plus le revoir, moi.

Tu sais la vigueur de mes pressentiments ? Leur infaillibilité.

Ma reniflette est le plus sûr des radars.

Samantha pianote son volant, molo, jouant une valse anglaise, lente et triste comme un dimanche du Sussex. Puis elle me regarde interrogativement. Attendant de ma pomme une décision énergique.

Je la prends.

— On fait demi-tour, lui dis-je.

Ce qu'elle obtempère illico (1).

Manœuvre aisée sur une route peu fréquentée. On repart en sens inverse. J'ai beau mater à m'en énucléer, je ne vois pas le taxi. Pourtant nous ne sommes plus très éloignés de l'endroit où le chien a péri. Donc, pour une raison « X », voire « Y » ou « Z », Stromberg a décidé de faire demi-tour. La chose me tarabate.

Pourquoi cet inversement de cap ?

Maintenant nous avons la touffe de cactus en point de mire. Je reconnais le lieu de « l'accident » sans difficulté, car, outre les cactus mentionnés, il y a là une série de termitières en forme de pain de sucre qui évoquent le temple d'Angkor miniaturisé.

— Vous voulez bien stopper, Samantha ?

Elle.

Je descends et traverse la route. Il n'y a pas de traces de sang car l'impact a shooté le clébard d'importance. Alors, que cherché-je sur cette route poudrée d'ocre ? Pourquoi viens-je examiner cet endroit où la chaleur se déchaîne à outrance ? Parce que le tueur s'y est arrêté ?

Qu'espéré-je, au juste ? Trouver quelque indice. Mais indice de quoi ? raconte...

Un objet jaune logé au creux du talus retient mon

_____

(1) *Phrase rigoureusement incorrecte, placée ici pour faire grincer les fausses dents des faux érudits.*

(San-A.)

attention bienveillante. Je m'en approche, le retourne du bout du pied. Il s'agit de la petite plaque posée au-dessus du pare-brise et qui comporte ce mot international qu'est le mot « Taxi ». Cinq lettres noires sur fond orange. Je ramasse la plaque et la montre à Samantha, restée à son volant.

— Vous comprenez ? lui dis-je.

Elle opine.

— Il a transformé un taxi en voiture privée ?

— Exact.

Et tout un bigntz me télescope les cellules. Je me dis : « Et si Stromberg avait pigé qu'on le filait ? Il prend argument du chien écrasé pour stopper. Il...

Il quoi donc, au fait ?

J'escalade le bout de talus pour contourner la grosse touffe de cactus. Le chien est là, tout tordu par la mort, la langue sortie, un filet de sang ourdant de son nez et coagulant au soleil. Et à côté du chien, le chauffeur noir, avec deux balles dans la nuque. Il se tient face contre terre, les bras dans le prolongement du corps. Sa grosse casquette à carreaux est restée vissée sur ses cheveux crépus.

Ce Jan Stromberg, c'est une vraie épidémie de choléra à lui tout seul. Il fait autant de ravages qu'en a fait la grande peste de Londres ! Avec cézigue pas de quartier : on liquide et on s'en va ! Tiens, ça va être le titre de ce book !

Je pige sa tactique : il a liquidé le chauffeur, arraché la plaque du sapin et il est reparti sur Abidjan. Bon, l'espoir me revient, parce que celui-là, il est pire que le naturel : t'as beau le chasser au galop, il revient par la fenêtre, comme dit Bérurier. Je me dis comme ça entre toi et moi, que le tueur ne s'est pas nécessairement aperçu de ma filoche. Sans doute voulait-il se procurer une bagnole sans aligner son blaze. Il a pris un taxi, s'est fait conduire dans un site désert pour buter le chauffeur et faucher sa brouette.

Oui, mais alors, comment se fait-il qu'il ait donné son

nom pour louer un avion, et qu'il s'abstienne de le faire
pour louer une bagnole ? Il y a là une contradiction, non ?
Après tout, pas forcément. Un avion devait le conduire en
moins d'une heure à Sassédutrou, tandis qu'avec une auto
il allait lui falloir du temps et...

— Oh ! my God ! soupire Samantha qui s'est décidée à
venir me rejoindre.

Elle contemple les deux cadavres en masquant sa
bouche de la main.

— Vous voyez à qui nous avons affaire, darling ? je
murmure en lui prenant la taille, car il faut toujours
réconforter les dames en détresse, surtout lorsqu'elles
sont jeunes et jolies...

— Pourquoi cela ? balbutie la jeune fille.

— Simplement pour se procurer une auto.

— Mon Dieu, mais...

— C'est en quelque sorte moi, qui, indirectement, ai
causé la mort de ce pauvre garçon en réquisitionnant
l'avion de Stromberg.

— Je ne comprends pas.

— Il doit se rendre à Sassédutrou coûte que coûte.
Donc, il loue un avion. On vient lui dire que le vol ne sera
possible que dans l'après-midi, contrairement à ce qui lui
a été indiqué un instant auparavant. L'homme est aux
abois. Il sait que d'un instant à l'autre on peut retrouver sa
trace, donc, il ne peut se permettre de poireauter aux
alentours de l'aéroport en attendant le bon vouloir
d'Ivoire Fly. Il feint d'accepter, mais il va prendre un
taxi, se fait mener loin de la ville. Sous le premier prétexte
venu, et nous le lui avons fourni en écrasant ce chien, il
demande au chauffeur de l'arrêter, l'entraîne à l'écart, le
tue, arrache la plaque du taxi et repart en sens inverse.
Logiquement, on ne découvrira pas le corps avant longtemps, il dispose donc d'une avance confortable.

— Donc, il est parti pour Sassédutrou en automobile.

— J'en mettrais sa tête à couper, ma jolie.

— Et alors, nous ?

— Nous retournons chercher la route de Sassédutrou si vous n'y voyez pas d'inconvénient.

— Et s'il s'est rendu autre part ?

— Eh bien, cela voudra dire que les flics français sont des incapables, ma colombe.

CHAPITRE QUINTEUX (1)

Au bout de trois heures d'une route brûlante, nous tombons en panne d'essence.

Faute de celle que j'aime et autres elfes linottes mal implantées en ce merveilleux pays.

La route longe la mer, s'en écartant parfois pour aller chercher l'ombre dense d'une forêt pleine d'étranges cris.

Là que nous sommes en rideau, la douce enfant britannique et moi, c'est comme qui dirait, pour ainsi dire, la savane. Des arbres rares, aux troncs biscornus comme ma littérature, de la terre rouge vif, des nappes de plantes rampantes et épineuses. Et t'ajoutes des affaissements de terrain, des mares sans eau, toute une faune d'insectes jacasseurs, et puis le ciel à la fois décoloré et lourd...

Nous nous trimbalons une pépie de première grandeur. Autant que notre chignole désamorcée. Pas drôlet. Et le gars Stromberg, lui, a-t-il été plus prévoyant que nous et s'est-il muni de jerricanes ?

J'ai déposé une banquette de la guinde au pied d'un gougnafier multiple, à coquilles vertébrales claquemurées, et nous voici assis, côte à côte, passablement tout cons, si tu veux la vérité franche et massive, déshydratés, désabusés, suant et maudissant notre imprévoyance.

Je me dis qu'une voiture finira bien par se manifester

(1) *Dédié aux chevaux rétifs.*

Un quart de plomb n'en finit pas de passer, malaxé par des tourbillons de bestioles aux carapaces luisantes dont les élytres produisent un vacarme de crécelle, lorsque tout à coup, un véhicule surgit, à contre-courant de notre voiture. Il s'agit d'un énorme camping-car presque aussi gros qu'un camion. Il est entièrement blanc, avec de gros caractères bleus peints sur ses flancs. Je me gesticule tout le système au milieu de la strasse et le véhicule s'arrête docilement. Un gros mec passe sa hure rubescente et déplumée hors de sa portière.

— Vous avez un problème ? il demande avec l'accent pied-noir.

— Panne sèche !

Il ricane :

— Touristes, hé ? Bon, je vais vous arranger les bidons.

Et il éclate de rire because sa boutade particulièrement bien venue, je dois admettre.

Les grosses lettres bleues peintes sur son équipage annoncent bizarrement ceci : « Tiens ! Voilà Duboudin. »

Le bonhomme se jette de sa tire. Il est en forme de toupie : renflé du haut et pointu du bas. Il a une tête marrante, à bajoues, avec un gros pif plongeant, pareil à un projet de trompe inabouti ; et de larges oreilles étrangement minces parcourues de veines, comme celles des lapins, où l'on voit presque circuler le sang. Il porte une chemise jaune dilatée par des poches-poitrine bourrées jusqu'à la gueule, un short en jean dont il ne peut assurer les boutons supérieurs, et des sandales de cuir défraîchies au travers desquelles fleurissent les plus admirables cors au pied qu'il m'ait jamais été donné d'admirer.

— Duboudin, Alphonse ! se présente l'homme-toupie.

— San-Antonio.

On s'en presse dix. Duboudin sourit à la petite Samantha.

— Elle paraît avoir soif, non ?

Il va toquer à la porte latérale du camping-car Une

dame rousse, en robe de chambre, mules bordées de cygne vert, fait coulisser l'huis.

— Des compatriotes en rade, Ninette. Allume une bouteille de champ !

Et, à ma compagne :

— Entrez, ma belle. C'est climatisé. Moi, je vais chercher de l'essence pour votre petit étourdi.

Il se rend à l'arrière de son attelage, escalade une petite échelle fixe et va dégager deux des quelque dix ou douze jerricanes rassemblés sur le toit.

Me les passe.

— Attrapez !

— Merci, vous êtes le père Noël ! lui dis-je.

Tandis que je transverse le carburant dans mon réservoir, je demande :

— Vous arrivez de Sassédutrou ?

— Exact.

— N'auriez-vous pas croisé une Peugeot 304 bleue et cabossée ?

— Si. Il n'y a pas tellement longtemps d'ailleurs.

Mon cœur y va d'un *te deum* (des familles). Ainsi j'ai vu juste. Ainsi je talonne le tueur. Pour un peu j'embrasserais Duboudin.

Je pressens le colporteur de brousse, en lui. Cette inscription sur les flancs de son véhicule est révélatrice. Il y a quelque chose de jovial, de prometteur dans ce « Tiens ! Voilà Duboudin ». Une manière cocasse d'utiliser un patronyme ridicule, de mettre les rieurs de son côté, quoi.

— Vous êtes dans le négoce ? questionné-je.

— Positivement, oui, rétorque mon samaritain.

— Et vous vendez quoi ?

Il pouffe :

— Du cul !

J'ai pour habitude de toujours éponger ma surprise, pensant, et je partage pleinement mon avis, qu'un homme qui se contrôle peut mieux contrôler les autres.

— Ça consiste en quoi ?

— Je parcours une partie de l'Afrique avec ce camping-car ultra-perfectionné. A l'intérieur j'ai deux belles putes que je renouvelle après chaque tournée.

— Et ça marche bien, le bordel volant ?

— Vous n'avez pas idée. Je suis connu comme le loup blanc. Il me suffit de stationner quelque part, dans une clairière, pour que les gars rappliquent. Et ils ne lésinent pas sur le prix. Je fais surtout dans le coopérant, le fonctionnaire, l'ancien colon, des chefs de villages aussi, côté indigène. J'éponge chaque bourgade jusqu'à la moelle. Je suis leur régal, à tous ces bons bougres.

— Les nouveaux missionnaires, en somme ? proposé-je, sans rire.

La formule le shoote.

— Bravo, je n'y avais pas encore pensé, mais y a de ça. Je répands le cul, comme les Pères blancs répandaient le christianisme.

— Vous êtes le de Foucauld de la fesse, renchéris-je. Combien vous dois-je pour l'essence, monsieur Duboudin ?

— Zob ! cadeau ! Un compatriote en rideau, c'est sacré. Venez écluser une petite coupe, l'ami.

Et j'entre dans le bordel itinérant du cher Duboudin pour, justement, assister à une scène assez pas piquée des termites. Juge-z-en, l'abbé : les deux putes de mon dépanneur, excellentes dames de compagnie, et je dirais même de bonne compagnie, ont entrepris la belle Samantha.

Ces dames batifolent sur un canapé de travail recouvert d'une merveilleuse peau de loup synthétique. Elles forment, si j'ose m'imprimer ainsi, la parfaite chaîne du bonheur. Samantha se tient à quatre papattes, les pinceaux dans ses starting-blocks.

L'une des aimables pensionnaires de Duboudin lui déguste le centre d'attraction par-dessous son écrou de serrage, tandis qu'elle-même fait un brin de ménage dans le centre d'orientation de la seconde dame-pute. L'ensem-

ble est plaisant, pousse-aux-sens et inspirerait le pinceau
d'un peintre ou d'un tendeur.

— Regardez-les, regardez-les, fait Alphonse Duboudin, d'un ton d'indulgence, ces petites friponnes ne
perdent pas de temps, hé ? Elles ont tout de suite reniflé
que votre petite potesse marche au Butane et te lui ont
sauté sur le réchaud d'emblée. Faut dire que Ninette et
Lolotte raffolent du gigot à l'ail. Tellement qu'elles sont
saturées de bites, mes gredines passent leurs loisirs tête-
bêche, à simuler le signe du poisson. Une vraie marotte.
Alors vous parlez : une chatte toute fraîche, qu'elles
n'allaient pas la laisser passer sans lui dire bonjour.
Asseyez-vous, l'ami. C'est pas grand, mais on a son
confort tout de même. Vous êtes d'accord pour une
roteuse ? Dans cette putain d'Afrique, bien frappé, y a pas
mieux. Si je vous disais que je m'en torche quatre par jour
pour tenir la route. Autrefois, à Oran, je me goupillais un
jardin secret à l'anisette pure, mais à la fin, mon foie
demandait grâce. Mettez-vous là, vous serez mieux pour
admirer ces dames en effervescence. Dites donc, elle en
veut, votre copine. Elle n'est pas française, m'a-t-il
semblé. Anglaise ? Oh ! Bon, tout s'explique. Là-bas, les
bonshommes sont pas branchés sur le compteur bleu,
hein ? Elles s'arrangent comme elles peuvent, les pauvret-
tes : avec des étrangers, des vibro-masseurs, d'autres
frangines ; le plus souvent toutes seules, remarquez
comment la plupart ont le médius de la main droite gercé.
A la bonne vôtre. Ces demoiselles nous rejoindront plus
tard quand elles auront achevé leur séance récréative.

« Seigneur, la vôtre, c'est une vraie professionnelle !
Mais elle va nous faire reluire Lolotte bel et bien, du train
où elle s'active. Vous avez remarqué, parallèlement, le joli
travail de sa main gauche ? Une virtuose ! Jamais Chopin
n'a joué du piano comme ça, l'ami ! Et, dites, son petit
mouvement de trot anglais, c'est le cas de le dire, pour
accompagner le boulot de Ninette ! Chapeau ! Est-ce
qu'elle monte aux asperges avec un pareil brio, l'ami ? Si

oui, compliment, c'est l'exemple rarissime de la femme tout terrain.

« Comment trouvez-vous ce Roederer ? Il supporte bien le dépaysement, non ? Faut dire que j'ai un caisson réfrigéré pour ma réserve. Alors, vous allez faire quoi, à Sassédutrou ? Import-export ? »

— Plus ou moins, réponds-je avec prudence.

Il n'insiste pas.

Mais demande :

— Pourquoi m'avez-vous demandé si j'avais croisé une 304 ? C'est un pote à vous ?

— Plus ou moins, réitéré-je.

Il désamorce la grimace réprobatrice qui lui venait. Un bavard déteste le laconisme des autres. Les idées saugrenues s'amoncellent dans sa grosse tronche éléphantesque. Elles me concernent. Il cherche à me situer avec précision. Enfin, son siège est fait, comme disait M. Galeries-Barbès. Pour me prouver qu'il sait à quoi s'en tenir à mon sujet, il soupire :

— Ça remue à Sassédutrou, les choses changent et y a à y faire...

Clin d'œil canaille.

Je me fends d'un autre clin d'œil non moins canaille pour lui donner satisfaction. Dialogue des carmélites dévergondées !

On boit. Lolotte prend son pied. Tu crois qu'étant pute, elle a appris à contrôler son panard quand le vase d'expansion lui déborde ? Fume ! Elle gueule pis qu'une petite-bourgeoise. S'étant envoyée aux quetsches, elle abandonne la partie en cours et de trio, le numéro devient duo, ainsi en est-il dans les formations de music-hall que la vie émiette au gré de ses fortuiteries.

— Brrrou, dit-elle en s'ébrouant, vous parlez d'une gourmande, celle-là. Comment qu'elle m'a dévasté la case trésor ! Je crois qu'on ne m'avait encore jamais briffée de cette manière, m'sieur Alphonse. J'en ai les jambes qui tremblent. Une coupe va me rétablir.

Elle est brunette, chiffonnée, plaisante.

— Vous devez pas vous ennuyer, avec une brancar-
dière pareille, me dit-elle.

M. Alphonse lui verse à boire. Puis, à moi, toujours
parfait homme du monde :

— Si leur matinée enfantine vous a mis le cœur en fête,
Lolotte se fera un plaisir de vous bricoler une petite pipe
de courtoisie, l'ami. Ne vous gênez pas, c'est la maison
qui régale.

Je décline avec effusion. Ce serait avec plaisir, mais j'ai
école et, puisque maintenant mon réservoir le permet, je
dois reprendre la route.

Justement, Samantha monte au fade à son tour, avec
des couinements de gorette britannique.

Nous allons pouvoir prendre congé.

* * *

T'imagine pas que Sassédutrou soit une vraie ville.
Pas du tout le moins. Il s'agit d'une grosse bourgade
africaine, avec une rue principale bordée de magasins
modestes. Au milieu de la rue, la coupant en deux : une
place avec quatre palmiers poussiéreux, des bâtiments
administratifs, un flic somnolent, quelques marchands
ambulants. Dans la périphérie, il y a le quartier indigène à
l'est, et à l'ouest, le quartier résidentiel, comme dans
presque toutes les localités du monde. Ce dernier comprend quelques solides demeures blanches et bleues,
flanquées de jardins, de pelouses, avec aussi une piscine
parfois, et surtout de l'ombre fraîche là où il en faut pour
pouvoir dormir, baiser ou boire son whisky sans suer
comme une fondue savoyarde. L'une de ces maisons, plus
grande que ses copines puisqu'elle comporte deux étages,
s'appelle « Grand Hôtel-Palace ». J'y vois le drapeau
ivoirien, bien joli, moi je trouve, puisqu'il représente le
drapeau irlandais à l'envers. Un parking abrité par des
roseaux tressés héberge quelques bagnoles unifiées par la
poussière ocre. Un groom loqué de vert, avec galons
orange, lit un très ancien numéro de *Lui* datant d'avant sa

parution et qui a soutenu les élans d'onanisme d'un grand nombre d'adolescents noirs depuis qu'un touriste l'a oublié dans sa piaule.

J'ai prié ma pourlécheuse de stopper non loin, et je viens à pince mater les lieux avec circonspection.

Pas de 304 cabossée au parking de l'hôtel.

Je reste à l'ombre d'un geunefille en fleur et adresse un « pssst ! » de trident en groom.

Ce dernier abandonne la jolie chatte frisée d'une blonde starlette au sourire aussi engageant que celui de Maître Capello.

Il se pointe vers moi, en nonchalant, son glorieux menstruel illustré (et comment !) sous le bras. Il porte un pansement au poignet. Accident de masturbation sans doute, ce qui va le quelque peu handicaper pour se saisir du bifton préparé à son intention ; mais y a toujours moyen de tourner les difficultés lorsque votre intérêt entre en jeu.

Lui montre la photo robot de « l'homme ».

— Ce monsieur est descendu à l'hôtel, petit gars ?

— Non ; il est été à la Grande Maison.

— Comment le sais-tu ?

— Il a arrêté devant l'hôtel pour me demander où qu'était la Grande Maison.

— Et où est-elle, la Grande Maison, mon bout d'homme ?

Il me désigne une voie fleurie de palétuviers qui s'en va le long d'un chétif ruisselet plus ou moins marécageux et pestilentiel.

— Au bout du chemin.

— Et c'est quoi, la Grande Maison, mon Fruit d'Afrique ?

— Une grande maison, m'explique-t-il avec une précision digne des loges (si tu es concierge) ou des doges (si tu es vénitien).

— Qui est-ce qui l'habite ?

Il rigole, touche sa braguette et répète :

— Qui l'habite, la bite, la bite !

Un rien l'amuse, cet être pétri d'esprit. Je l'embrasserais pour ce témoignage de culture éminemment française. Que s'opère la pénétration du calembour en Afrique
presque équatoriale, est pour moi sujet d'orgueil.

Je laisse croître, s'épanouir, décroître et s'éteindre son
rire.

— Alors, charmant bananophage ? me permets-je d'in-
sister.

— La Grande Maison, c'est une maison qu'elle est au
gouvernement, me révèle le morpion de brousse défrichée
en ouvrant *Lui* en son juste milieu afin de me découvrir,
pour le même prix, la ravissante carcasse d'une personne
du sexe, à califourchon sur une banquette de velours bleu
qui met en évidence sa toison d'or, adorable et frisée
comme un bébé suédois.

— La bibite ! La bibite ! il m'exclame joyeusement.

Un peu obsédé, mais c'est de son âge. L'homme,
n'importe sa race, est enfermé entre les parenthèses de la
cupidité sexuelle. Entre l'impatience et les regrets. Ado-
lescent et vieillard, il est hanté par la féerie de ce qu'il ne
pratique pas encore, et de ce qu'il ne pratique plus.

Il capte mon pourliche avec adresse, nonobstant son
poignet foulé.

— Dis-moi encore, mon brunet, aujourd'hui, trois
personnes ont dû descendre à l'hôtel, non ? Une vieille
dame anglaise, un gros bonhomme rigolo et un vieux type
branlant.

— Oui, oui. Ils sont là.

Je lui donne une tape sur la joue.

— Va leur dire qu'Antonio est arrivé et qu'il les
rejoindra bientôt. D'accord ?

— C'est bon !

Je m'engage dans le chemin aux palétuviers. Des
insectes font un vacarme de tous les diables. L'eau du
ruisseau est d'un beau vert hépatique, avec des bulles
cloaqueuses qui éclatent comme des pets nauséabonds.
Des palmiers-dattiers (retenez bien cette datte) s'alignent
à perte de vue sans parvenir à faire de l'ombre. Et bon, je

marche gaillardoche. Je me sens inquiet soudain, et puis
morose aussi d'avoir constaté que la mère Samantha n'est
pas une cliente pour moi vu ses mœurs. Mais quoi, la vie
c'est comme ça, avec des coups fourrés à la pelle, des
déceptions, des dangers imprévus et tout le reste, bon et
mauvais, exaltant ou lénifiant, qu'il convient d'accepter
au fur et à mesure sans rameuter chaque fois la garde.

Le chemin que je suis s'empoussière au loin, car une
jeep radine, antenne de trois mètres fouettant l'air immobile.

A son bord, se trouvent deux types en chemisette kaki
et short vert, têtes nues, avec des lunettes noires très
noires. Je m'avise que celui qui ne conduit pas tient un
fusil mitrailleur entre ses genoux. La jeep fonce à ma
rencontre. Je m'efface pour lui laisser le passage, mais elle
stoppe à ma hauteur. Le non-conducteur m'interpelle :

— Où allez-vous ?
— Je me promène.
— Papiers !
— De la part de qui ? objecté-je.

Il répète :

— Papiers.

Il se laisse pousser la barbe, mais elle pousse peu, et
mal. Cela lui fait comme s'il avait bouffé un cul crépu en
déplumance.

De grâce maussade, je lui file une brème sur laquelle y a
marqué simplement « fonctionnaire », sans qu'y soit
précisée ma profession.

Le gars la lit péniblement, ce qui m'induirait à penser
qu'il a dû rater son doctorat de lettres. Puis me la rend
d'un air dégoûté. Il mâchonne un morceau de je ne sais
quel bois, et dans sa bouche brune et rose, la bûchette fait
songer à un thermomètre.

— Allez vous promener ailleurs, il dit.
— Je ne fais rien de mal.
— Allez, allez, dégagez.

Son air, son ton, son arme : trois raisons pour moi de
boire Contrex sans rouscailler.

Avec un haussement d'épaules, je bats donc en retraite.

M'est avis, baron, que cette « Grande Maison » dont cause le groom est dûment protégée. On doit surveiller les abords à la lorgnette et dépêcher des « dissuadeurs » de choc lorsque quelqu'un s'annonce à l'horizon. Cela signifie donc que Stromberg, lui, y a ses entrées. T'es d'ac ?

Brusquement, je trouve que mon affaire branle au manche. A présent, le tueur est dans cette forteresse. Comment se fait-il que cette « grande maison » appartienne à l'Etat ? Si Stromberg possédait un condé auprès du gouvernement ivoirien (y a qu'à lui offrir une canne blanche) il n'aurait pas besoin de trucider un malheureux chauffeur de taxi pour lui chouraver son tas de tôle, non ? Alors ?

Je vais récupérer la môme Samantha et nous descendons à l'hôtel pour y acheter deux nuits de sommeil. Le petit groom me déclare au passage que Lady Meckouihl et mes potes sont absents. Parbleu ! Ils morfondent à l'aéroport, à attendre la venue de Stromberg ! Lequel est déjà à pied d'œuvre.

Quand je te dis qu'on part en sucette !

Les chambres du « Grand Hôtel-Palace » sont un peu moins confortables que les chiottes de la gare Saint-Lazare mais elles sont beaucoup plus vastes. Un plumard pour grabataire du troisième âge, quelques meubles bancaux (à Monte-Carlo, s'écrit banco ; ailleurs certains indigènes de l'hexagone écrivent bancals), un ventilateur qui ne ventile plus. Le sol sert de piste d'entraînement à une compagnie de cancrelats en manœuvres. Ça pue le rance, le surchauffé, le cul intorché et le végétal fané.

Quoi encore ? Non, ça suffit commak, après tout, c'est seulement pour une nuit.

Je laisse tomber mes bras ballants de part et d'autre de ma personne, puis mon fessier sur le lit ; qu'aussitôt le sommier se décroche et se met en rapport direct avec le plancher, soucieux qu'il était de supprimer les intermédiaires.

Une fenêtre garnie d'un store intérieur, en je-ne-sais-

4

quoi tressé (c'est ça qui pue le végétal fané), donne sur le chemin d'où je viens d'être chassé. Par-dessus le moutonnement des palétuviers roses, j'aperçois la Grande Maison. C'est une construction blanche, avec un toit plat, un péristyle parthénonesque, et des volets qui se soulèvent du bas, en pare-soleil de bagnole. Le tout est ruisselant de blancheur, cerné de palmiers-dattiers (1515 étant ma datte préférée, comme à beaucoup de cancres) et j'avise même une espèce de pièce d'eau à jet, que, de loin, tu croirais la rade de Genève miniaturisée et africanisée à l'extrêmement extrême (1). Ce qui frappe, dans cette propriété, c'est le nombre de gars qui gravitent alentour. Certains en jeep, comme mes deux loustics de naguère, d'autres à pied, sans compter ceux qui sont assis au gré des surfaces surélevées et planes aptes à recevoir leurs dargifs. Alors, bon, l'Antonio phosphore et fait reluire. Des étincelles lui partent du cerveau, provoquant un incendie de cervelet. Et je fais mutinement tututt, avec l'ongle du pouce passé et repassé sur mes lèvres envoûtantes que tant de femmes contemplent en secret et en sécrétant. Je suis un doué, y a pas. A quoi bon finasser et jouer les pudiques.

On toctoque à ma lourde.

C'est le petit chaperon rouge, toute guillerette de s'être fait déguster la gaufrette tantôt par les amazones au père Duboudin. Elle désanglaise un brin, Samantha, à force.

— Curieux palace, n'est-il pas ? elle me dit, depuis l'encadrement.

— Faut tenir compte de sa situation géographique, mon petit cœur...

Je reste ébahi sur mon lit sinistré, tout de guingois, la regardant avec cet œil flétrisseur qu'un mâle convaincant pose sur une lesbienne convaincue.

---

(1) *A propos de ce genre d'expression, j'ai rencontré un jour un type qui m'a prié de surveiller mon français parce que j'avais écrit* terriblement terrible. *Je profite de cet* extrêmement extrême *pour dire à cet individu que je l'encule, moralement, mais intensément.*

Œillade d'affliction, en somme. La nostalge engendrée par cette évidence : « T'es belle et pas pour moi ».

— Nous attendons my lady ici ?

— J'allais précisément vous prier de vous rendre à l'aéroport pour lui demander, ainsi qu'à mes compagnons, de rentrer à l'hôtel.

— J'y vais tout de suite.

Elle commence à battre en tu sais quoi ? Gamelin ! Bazaine !

Aux flambeaux ! Retraite, quoi !

— Hé ! la stoppé-je, puis la fais-je pirouetter (comme écrivent mes confrères sous-doués).

Elle me défrime oblique, sentant que je vais lui filer dans les badigouinsses une question tortillée en papillote.

— Qu'y a-t-il ?

— Répondez-moi franchement : l'assistance dévouée que vous apportez à Lady Meckouihl implique-t-elle également que vous distrayiez son veuvage ?

Elle sourcille, va pour m'envoyer un tantisoit au bain turc, mais se contient, et même se ravise.

— Voilà une question très indiscrète, remarque-t-elle.

Je m'emporte en courant :

— Ecoute, môme, quand tu te faisais groumer l'ognasse, tout à l'heure, dans le camping-car, tu te foutais pas mal des indiscrétions, non ? Madame prenait son pied d'éléphant, très superbe. On lui aurait fait jouer du Wagner, pour lui escorter le coït, ça n'en aurait été que plus grandiose ! Merde !

Ma sortie la fait rentrer dans sa coquille (1). Si elle n'a pas tout compris, elle a deviné le reste, ce qui est essentiel.

— Je suis une fille terriblement sensuelle, déclare Samantha, et je pratique l'amour sous toutes ses formes, si la chose vous intéresse.

Et comment qu'elle m'intéresse, la chose !

On échange un regard long comme un discours de

_____

(1) *En anglais dans le texte original.*

Canuet, et qui se met à signifier beaucoup plus que ce qu'il avait l'intention de faire.

— Alors t'es tout-terrain, la mère ? Tu te fais la vieillarde, la pute, le julot ?

— Ouate doux youdde sait ?

— Comme with me que je t'explique.

Mon geste ponctue impérativement.

Elle s'avance, prend place auprès de moi sur le plumard détraqué.

— Alors, bien vrai, t'accepterais une partie d'écarté avec ma pomme, ma mimiss ?

— Je brûle de pour vous ! elle me dit en vrai français de France. Depouis que j'ai moi et vous, je souis fantastiquement excitinge.

Mon bénouze et mes tympans en craquellent d'entendre ça.

— Si t'avais des vapes, pourquoi cette partie de jambonneaux désossés avec les demoiselles de la brousse ?

— Je ne pouvais plou retenir moi de vous !

— Que ne le disais-tu, connasse !

— Je ne pas oser, je étais timide d'être your driver.

Pauvre bichette.

Salope à ce point, faut oser ! Tu sais que c'est un cas, la miss *tu-m'-dégustes ?*

Je l'entreprends maison, manière d'opérer une trêve des confiseurs dans mon équipée. Pour commencer, naturliche, je la bascule sur le plumard.

Et puis la débarrasse de ses fringues dont nous n'avons nul besoin. Cette nana, tout juste tu lui branches deux doigts dans la prise électrique, la voici qui démène, démantèle, tout bien, l'occase très formide, le coup inespéré comme les cas les plus beaux.

Elle affirme dard-dard comme quoi c'est bon, good, wonderful et tout le chenil ; qu'again, et oh oui, very again, on est pas pressés, faut prendre son temps pour prendre son pied, pas transformer les stances du Cid en rondeau. Bon, je sais que ça va pas être de la bâclette, mais du tout beau travail, style horlogerie suisse.

Bien prendre par le début. Se donner déjà dans l'avant-propos, et puis dans la préface, l'avertissement, le prologue, comme dans les bouquins à ces vieux crabes qu'en finissent pas de préambuler pour expliquer la chierie bâilleuse de ce qu'ils tartinent. Merde ! On devrait instituer une censure pour interdire d'emmerder les lecteurs. Si tartant, s'abstenir. Juste on ronéotype leur ramassis, ces nœuds, qu'ils se relisent à loisir puisqu'ils sont leur seul et unique lecteur.

Alors, donc, d'entrée de jeu, je la fignole. Lui fais gazouiller le trésor. Elle clapote du delta. Il y a con s'il y a bulle, disait mon vieux Léon, le sacré bougre de mes autrefois. Inoubliable. Formidé par le temps qui passe, Léon.

Des mouches énormes frelonnent autour de nos corps exaltés. Il fait chaud poisseux. Quelque part dans le Palace, y a une noirpiote qui chante un machin à Michel Sardou. Et un gars à la voix comme des pommes de terre plongées dans la friture qui en traite un autre d'enculé paresseux, comme quoi il a pissé dans la théière du 6 pour s'épargner de descendre aux chiches, le bœuf ! Non, mais tu te rends compte.

J'efforce de m'abstraire, d'oublier l'hôtel, l'Afrique, le tueur, pour bien déguster l'instant si joliment frisotté, blond et humide. Mais ma pensarde volplane, tu sais. J'entends la voix de Stromberg enregistrée par le mini-cassecouille à Mme Eva : « Pour vous, disait-elle, c'est une chose sans valeur, mais pour moi cela n'a pas de prix. »

Est-ce cette chose sans prix pour lui qu'il a amenée dans la Grande Maison si bien gardée ? N'aurais-je pas dû mettre la main dessus alors que j'en avais la possibilité ? Maintenant, il est à l'abri, l'artiste. Mam'zelle Miss glapit de plus belle. Si fort qu'un larbin pousse la porte sans verrou et passe sa tête par l'encadrement. C'est lui qui a licebroqué dans le thé du 6, probable. Un peu demeuré, le chenapan. Loucheur, chauvasse, ce qui est rare chez les Noirs dont les tifs sont si drus.

Il m'adresse une mimique complimentative. La môme

reluit à plein régime (de bananes, naturellement).
J'adresse au visiteur intempestif un geste destiné à le
rappeler à la discrétion. Il ne semble pas comprendre et
continue de mater. Bon, va falloir que j'opère un break
pour le vider. Mais les événements m'évitent cette peine.
En effet, une main se pose sur son cou. Une main venue
d'ailleurs, qui le tire en arrière. Je perçois un remue
ménagerie. La porte s'ouvre en tout grand cette fois et
deux personnes pénètrent dans ma chambre, stoppant la
pâmade de la chère Samantha. Il y a un type noir en bras
de chemise, pantalon noir, qui tient un vieux numéro de
Paris-Match à la main, duquel émerge un canon noir.
L'autre est également noir, mais gras comme un Blanc,
avec des plis entassés en guise de cou, un nez large comme
le gant de boxe qui lui a valu probablement un tel volume,
et un œil, entièrement blanc à la suite d'un accident
énucléeur. Il porte une chemise comportant autant de
poches que sa figure, dans les tons verdâtres, plus ou
moins militaire ; un pantalon de jean blanc serré par un
ceinturon dont la boucle de cuivre représente l'insigne de
Mercedes ; et puis une casquette de toile verte à longue
visière.

Le type au Match fourré revolver dégage son arme pour
me braquer. Le gros s'approche de mes vêtements pour y
prélever mon portefeuille.

— Hé, minute ! lancé-je, vous avez oublié de vous
présenter !

D'un bond je retrouve la verticale et fonce sur lui.

— Ta gueule, espèce de merde ! me dit-il en me
rebuffant d'un coup de coude appuyé au creux de mon
estomac.

Le souffle m'échappe un brin.

Oh ! que j'aime pas.

Je me plie en deux, les paluches plaquées sur le point
d'impact, geignant comme un avare devant le paquet de
titres russes de son grand-papa.

M'estimant maté, l'homme se désoccupe de moi pour se
consacrer à mon larfouillet. Si bien que je me paie en toute

quiétude le shoot du siècle dans ses roustons. Heureusement, dans ma hâte de consommer la petite Anglaise,
j'avais gardé mes chaussures. Le gros ne dit rien, mais sa
gueule est aussi éloquente qu'une carpe assistant à la
projection d'un film de M. Robbe-Grillet. Son œil valide
devient aussi blanc que l'autre et il tombe à genoux.

Son garde du chose perd trop de temps à piger ce qui se
passe. Manque de réflexes, ce petit. Il prend ma boule
dans ses gencives et part à la renverse. Je cueille son feu,
le biche par le canon, et m'empresse d'administrer un
soporifique express au gros pour qu'il oublie un moment
ses burnes éclatées. Le voilà allongé à plat ventre sur le
plancher constellé de gentils cancrelats domestiques.

Arme en main, ton Tantonio chéri s'assoit sur un
tabouret bancroche, la queue entre les jambes, le canon
du feu pointé vers la tempe du mégarde du corps.

— Tu viens de la Grande Maison, fifils ?

Il ne répond rien, se contentant de rouler des yeux à
chier partout, comme Dalida quand elle interprète une
Samson très terriblement émouvante, cosmopolite et
invertébrale.

— Ah ! pas de cachotteries avec moi, mon garçon,
sinon je te vide ton chargeur dans le corps en commençant
par le ventre et en remontant jusqu'au front, qu'ensuite tu
ressembleras à une flûte. Tu comprends ?

— Oui.

— Donc, tu viens de la Grande Maison ?

— Oui.

— Et qu'est-ce que vous veniez fiche dans ma
chambre ?

— M'sieur Gracieux voulait savoir qui c'est que vous
êtes.

— Qui est M'sieur Gracieux ?

— Lui, là.

— Que faites-vous, à la Grande Maison ?

— On est gardes. M'sieur Gracieux est chef de garde
Moi, je suis juste garde garde.

— Et vous gardez qui ?

Il paraît surpris par ma question. Sans doute croyait-il que j'étais au courant.

— Mais...

— Eh bien, parle, mon bébé, n'aie pas peur.

— On garde Sa Majesté.

— Le père Bok ?

— Oui, Sa Majesté.

— Vous êtes nombreux à la garder ?

— Oui.

— Combien de personnes ?

Il accordéone du front et renifle ses souvenirs.

— Beaucoup... Y a moi, y a M'sieur Gracieux, M'sieur Sauveur, et puis Séraphin, Germinal, moi, Césaire, Victorien et moi.

— Plus des domestiques ?

— Plus, oui.

— Et Sa Majesté a du monde avec elle ?

— Seize de ses épouses, il a laissé les autres à Abidjan.

— Des enfants ?

— Non.

— Un monsieur lui a rendu visite, tout à l'heure, n'est-ce pas ?

Il opine.

La pièce est plongée maintenant dans la pénombre car la noye chute vite par ici. Déjà, la lune prend la relève.

— Toi, c'est comment, ton nom ?

— Evangéliste.

— Sa Majesté a reçu son visiteur ?

— Oui.

— Il va dormir à la Grande Maison ?

— Oui, on l'a porté à une chambre.

Je gamberge : sept gardes du corps. Deux sont ici, réduits à l'impuissance.

L'organe du Gravos retentit dans la nuit fraîchement tombée. Il chante les Matelassiers, le Mammouth, avec sa voix des soirs de hautes libations ; m'est avis qu'il a la cuite à marée haute, ce soir.

Je me porte à la fenêtre sans quitter pour autant

Evangéliste du canon de son feu. Rapide coup de périscope à l'extérieur. Suffisant pour capter un spectacle délicieux. Lady Meckouihl avance, primesautière, vers le « Grand Hôtel-Palace » encadrée de Pinuche et Béru qui la tiennent l'un par le cou (le Gros), l'autre par la taille. Ils m'ont l'air beurrés comme des toasts pour caviar en pays capitaliste.

— Dear Samantha, soupiré-je, je crois que les circonstances nous contraignent à remettre notre entretien à une date que j'espère peu ultérieure. Nos amis arrivent, mettez la moindre des choses sur vos admirables formes et allez les chercher, de grâce.

* * *

— On est r'venus, biscotte les gonziers de l'éroport n's'ont dit qu'aurait plus d'vol la notte, explique le Mastar en s'affalant, y n'sont pas équipés pour.

— Vous êtes blindés comme des chars russes ! rouscaillé-je en voyant s'écrouler la douairière sur le sommier.

— Cause pour Mélanie, mais moi et la Pine on est frais comme l'arroseur arrosé. Le gus qui tient la tour d'contrôle fait bistrot en mêm' temps. C't'un Rosbif. Figure-toi qu'il a servi dans l'Armée des Indes sous les ord's au colonel Meckouihl, l'vieux d'la vieille. Ça s'arrosait. En outr' il est drôlement équipé du point d'vue vouiski, espère.

— Bon, c'est pas tout ça, gars. On a école.

— Quoi-ce ?

Je leur raconte, à Baderne-Baderne et à lui, l'insensé projet qui me fourmille dans la boîte à idées. Complètement dingue, mais euphorisés tels que les voilà, ils ne rechignent pas. Alors on se prépare dans le calme. Pour commencer, je vais ôter de son boîtier la pile de ma lampe électrique de poche super-plate. Je la débarrasse du papier à sa marque qui l'entoure et me pointe vers mon copain Evangéliste.

S'agit de lui jouer un tour à ma façon. Je m'inspire pour

ce faire du drame puissant que j'ai vécu dans *Meurs pas on
a du monde* (1) où des foies-blancs m'avaient affublé d'une
bombe à ondes petafinées qui devait éclater si je proférais
un mot fatidique.

Ces gueux, si tu te le rappelles, avaient sparadré l'engin
sur ma poitrine. Le toucher équivalait à du suicide.

— Mon cher Evangéliste, dis-je au garde du corps du
délit, va falloir que tu changes de camp, sinon ce qui
subsistera de toi pourra filtrer à travers les trous d'un
passe-thé.

« Tu vois ? J'attache cette bombe dans ton dos. Si tu
cherches à l'ôter : elle explose. Moi seul peux t'en
délivrer, compris ? »

— Oui, oui, balbutie l'autre, mais fais pas le con,
patron.

Ce terme de patron dissipe la rudesse de l'exhortation.
Je lui tapote l'épaule.

— Aie confiance, vieille mouche, et sois fidèle.

Il me baise la main.

Bérurier balance un alizé subtropical, ce qui, de sa part,
équivaut au coup de clairon sonnant la charge héroïque.

---

(1) *En vente dans toutes les pharmacies.*

CHAPELLE SIXTINE (1)

La nuit ondule (et les vaches ont du lait).

Vent super léger. Friselis imperceptible dans les branchages odoriférants (comme le maréchal).

La jeep conduite par Evangéliste roule bon train. Je suis coincé entre le conducteur et l'énorme M'sieur Gracieux, lequel rote d'un ail qui devrait être digéré depuis lurette. A l'arrière, sous une bâche : Pinaud.

Je soulève le coin de toile.

— Ça boume, la Vieillasse ?

— Oh ! tais-toi : sais-tu ce qui m'arrive ?

— J'ouïs ?

— L'Anglais de la tour de Contrôle-bar, nous a offert des olives noires au piment rouge avec ses whiskies, et je n'ai pas pensé que chez moi le piment avait un effet plus désastreux encore que le melon ! On ne pourrait pas stopper, que je...

— Non, on ne peut plus, car nous sommes probablement surveillés à la jumelle infrarouge depuis la Grande Maison.

— Mais je vais...

La voix est paniquée.

— Eh bien, va ! dis-je, fataliste, en laissant retomber la bâche sur les turpides entrailles du chérubin.

On se pointe tout au bout de la route. Une barrière

(1) *Dédié au Chapitre Six qui devrait se trouver là.*

blanche ponctuée de catadioptres la conclut. Une guitoune munie d'une chaise la flanque. Un cul d'homme est
entreposé sur la chaise ; celui de Germinal, le collègue à
Evangéliste. Evangéliste balance trois légers coups de
klaxon. Le cul se déchaise et Germinal actionne le
contrepoids pour que se soulève la barrière.

Nous passons. Une grande haie de roseaux borde l'allée
conduisant à la masure. A l'abri de ladite, on ne peut plus
nous voir.

— M'sieur Gracieux, fais-je à mon voisin de droite,
vous devriez demander sa mitraillette à Germinal, je suis
sûr qu'il s'endormira sans elle.

M'sieur Gracieux opine, saute de la jeep et marche à la
guitoune.

— Psst ! fait-il péremptoirement.

Germinal sort sa frite.

— Moui, M'sieur Gracieux ?

Il déguste une manchette qui le rectifie. M'sieur
Gracieux ne perd pas de temps : avec le ceinturon du
garde, il lui comprime les bras le long du corps, puis fait
basculer la lourde guitoune par-dessus après lui avoir
enfoncé un pan de sa chemise dans la bouche. Maintenant, Germinal est en hibernation, tel un escarguinche
dans sa coquille.

M'sieur Gracieux reprend sa place, la mitraillette sur les
genoux. Massif ! Impavide ! Un pas vide !

— Où je vais-je ? phraséologe Evangéliste.

— Vas-je où tu as l'habitude d'aller-je quand tu
reviens-je d'expédition, mon cher.

— Au poste de M'sieur Sauveur ?

— C'est cela même, chérubin. Conserve tes habitudes,
elles constituent la force des faibles.

Docile, il contourne la face ouest de la maison pour se
présenter sur l'esplanade. Près du péristyle, l'on a som-
mairement édifié une baraque de chantier, sorte de
roulotte sans roues, disgracieuse à souhait.

Un zig grand comme l'Himalaya, pas très noir, plutôt
café au lait avec beaucoup de lait, saboulé broussard, avec

des leggins, du verdâtre et des poches partout, plus un
fort revolver à la ceinture, fume un cigare aussi monu-
mental que la biroute à Béru, adossé à la cabane.

Evangéliste stoppe à deux mètres de lui.

— Ah ! bon, vous le ramenez, ce salopard, grommelle
l'athlétique sans ôter son gourdin ; qui est-il est-ce ?

M'sieur Gracieux déboule de son siège à la vitesse du
taureau le plus fougueux sortant du toril. Au lieu de se
mettre à faire la causette avec M'sieur Sauveur, il lui
plonge dans le baquet, tête première et percute ses
cerceaux. Le géant émet un « arrhhhan ! » (saur) du
meilleur aloi (personnellement, des alois pareils j'en ai très
peu rencontré, et ils étaient en moins bon état). Son
havane brésilien fabriqué en Belgique lui tombe du clape.
M'sieur Gracieux, qui est un homme déterminé, file un
coup de genou dans les claouis de son « collègue », puis
profite de ce que cette soudaine agression le laisse pantois
pour le boxer à la sauvage, des deux poings à la fois, sans
détailler ses gnons. Mais l'autre est du bois dont on fait les
flûtes. Cette grêle de horions ne parvient pas à l'abattre.
Au contraire, il reprend même du voile de la fête (ou du
poil de la bête, au choix, c'est selon, chacun ses goûts,
hein ? Auteur abondant, je propose ; le lecteur dispose.
Con mais libre). Une patate plantigradesque télescope la
tempe de son agresseur. M'sieur Gracieux en titube. Sa
casquette a chu. O surprise ! (pas pour moi, mais pour toi,
et encore n'aurais-tu point éventé la chose ?) Il s'agit de
Béru. Un Béru qui a revêtu les hardes à M'sieur Gracieux
et s'est passé la frime et les paluches au fond de teint ocre
foncé. L'Himalaya se jette sur le Gros et le terrasse. A
moi ! Facile. Coup de crosse archi-épiscopale au niveau du
bulbe rachidien. Très appuyé. Trop, même, sans doute
la dose travailleur de force, voire la dose forcenée. M'sieur
Sauveur s'immobilise. Juste qu'il lui subsiste un tremble-
ment du pied gauche, comme à un lapin estourbi. Le côté
ding ding ding ding, à toute vibure.

Un gazier qui branlait je ne sais quoi, ni qui, à

l'intérieur du poste de garde, apparaît, étonné, en tenant une tasse pleine de ce-que-tu-voudras-je-m'en-fous.

— Pourquoi y se battent, M'sieur Gracieux et M'sieur Sauveur, M'sieur Gracieux ? questionne-t-il.

Puis, s'apercevant que M'sieur Gracieux n'est pas M'sieur Gracieux, il en fait la remarque à M'sieur Gracieux.

— T'es pas M'sieur Gracieux ? dit-il, assez surpris.

— Je ne suis que son frère jumeau, assure Béru en le foudroyant d'un impétueux crochet sur la pomme d'Adam.

Le Mammouth frotte ses phalanges contre son pantalon.

— Bon, on en est où-ce que ? murmure-t-il.

Je me livre à un premier bilan :

— Ils étaient sept gardes. Evangéliste est avec nous, ça fait un ; M'sieur Gracieux est ligoté à l'hôtel, cela fait deux ; M'sieur Sauveur a le cervelet qui clapote, ça fait trois ; Germinal fait du crapahutage sous sa guitoune, ça fait quatre ; ce garçon... quel est son nom, au fait ?

— Césaire, répond Evangéliste.

— Donc, Césaire est K.O., ce qui fait cinq. Ne reste à neutraliser que Mrs. Séraphin et Victorien. Où penses-tu qu'ils se trouvent, Evangéliste ?

— De l'autre côté de la Maison.

Je fais signe à Béru.

— A toi de conclure, Gros. Pas de bobo, surtout.

— Inquiète-toi pas pour les infusions d'sang, Mec. Av'c c'manche à gigot (il brandit son bras droit), on fait dans l'velouté.

Il s'éloigne après s'être recoiffé de la gapette à longue visière.

— Aide-moi à rentrer tes potes dans la baraque ! enjoins-je à Evangéliste.

* * *

Les voici donc solidement ligotés dans la cabane. Pour du ménage vite fait, c'est du ménage vite fait. J'allègre à pleins tuyaux. Griserie de l'action rondement menée. Je vais pour me relever, après avoir saucissonné M'sieur Sauveur et son équipier, et mon regard précède mon corps, si tu vois ce que je veux dire, à moins que ce soit un peu trop alambiqué pour ta noisette à lobes ? Disons que je lève les yeux en direction de la porte. Et, tu devines quoi ? Oui, mon amour ; Stromberg. En chair (comme Bourdaloue) et en noces (comme Cana). Son feu en main, là, dans l'encadrement. L'épaule appuyée au montant. Le doigt sur la détente de son glingling ; en train de m'assurer.

Il défouraille de la ceinture et la manière de viser est plus instinctive que lorsque tu balances la fumée de façon classique. Tout se joue en une effraction de seconde, comme dirait Mister Gradube. Je me jette à la renverse, sans choisir mon point de réception. Deux prunes consécutives et parallèles me frôlent le front. S'en faut d'un poil de cul de jeune fille nubile. Oh ! là,là !

La chose a été si fulgurante, qu'un instant, bref mais suffisant, Stromberg me croit foudroyé par ses délicieux pralinés fourrés plomb. M'estimant mort, il cesse de flinguer. Je mets ce bref répit à perte et profit pour une nouvelle cabriole de côté.

Il tire. N'a pas eu le temps d'estimer, et c'est le cher Evangéliste, derrière lequel j'ai eu le toupet de me planquer, qui morfle les deux nouvelles prunes dans l'estomac.

Ce n'est que partie remise. L'arme du tueur est un Factotum 39 Manufrance composté, à interligne simple et touche de rappel ; arme d'autant plus dangereuse que son chargeur contient quatorze balles, plus une de dépannage quand le voyant rouge s'allume... Avec de la munition à foison, il est assuré de m'avoir, le Gueux. Vu que le pistolet emprunté à Evangéliste est resté dans la jeep.

Machin est entré, dans le cagibi, le regard pareil à une stalagmite de glace accrochée au chéneau d'une braguette d'Esquimau. Détermination folle ! Tu vas périr, très Santonio de tes deux.

Non ! Une détonation retentit à l'extérieur.

Comme par miracle, le feu de Stromberg choit de sa main instantanément rouge. Je me précipite. Trop fougueux, l'ami Antoine. Il me savate le pif d'un coup de grolle, puis, comme une seconde balle déchire sa manche, il se jette hors de la cabane.

Je cueille sa rapière et bondis, la frite inondée de raisin. Mon nez est déguisé en Moulinex-jus de viande. J'ai du mal à respirer. L'ombre est épaisse.

— Il s'est sauvé par là ? déclare Pinuche en me désignant un hangar, sur la droite (ou sur la gauche, si c'est davantage à ta main et dans tes opinions. Moi je m'en branle : je suis ambidextre et apolitique).

Il est tout gnagnard, l'ancêtre. Le fort calibre qu'il tient de sa main vieillarde fait anachronique (du temps passé). Et pourtant, dis, t'as constaté la manière qu'il s'en sert ? Ce coup au but ! Plof ! dans la paluche meurtrière ! Chapeau !

Lui, avec sa vésicule qui part en quenouille, c'est Buffalo Bile.

Et pourtant il n'a rien d'un champion, son bénouze une fois de plus baissé.

— C'est grâce à ma diarrhée que tu as la vie sauve, explique-t-il, à cause de ces fichues olives au piment j'ai dû aller du corps, derrière la jeep. Ensuite, j'ai cherché du papier dans la voiture et, ce faisant, mis la main sur ton revolver ; pile à l'instant où cet individu te canardait. Je ne l'avais même pas entendu arriver. Tu n'aurais pas de papier sur toi ?

— Ma carte professionnelle mais elle est plastifiée.

Un ronflement de moteur retentit. La Pigeot de mon copain Tueur passe à une cinquantaine de mètres et gagne le chemin. Presto, j'enquille la jeep, démarre en voltige pour courser le fuyard.

— A moi ! Au secours, les potes ! hurle l'organe du Mastar.

Pour lors, trêve de poursuite infernale : je freine sec et contourne la Grande Maison car l'appel de notre valeureux vient de derrière le bâtiment.

Au coin de la demeure, je pige tout. Scène confuse, dantesque, improbable et cependant vraie. Comment se peut-ce ? Deux zigs sont pêle-mêle, au sol (Bérurier ayant rempli son contrat de confiance Darty), proprement anesthésiés par les muscles de Monseigneur. Mais lui-même est aux prises avec un étrange antagoniste.

Un être à peu près de sa taille, sombre entièrement, qui l'a assailli par-derrière et l'enserre de ses bras démesurés. Un gorille ! Et celui-ci, il ne vous salue pas bien du tout, crois-moi !

Et en sus (si je puis dire), il manifeste, si j'en crois ses mouvements des intentions sodomiques très nettes, le pauvre chou. Drôlement vicéloque, le bestiau, avec toutes les mignonnes guenons qui sont en train de se passer du rouge à lèvres dans la forêt en pensant à lui, vouloir se faire Alexandre-Benoît Bérurier, dis, c'est purement aberrant, non ?

Le Mastar démène du cul pour chasser l'emprise, mais un gorille, pardon, c'est dix fois M. Muscles ! Surtout en rut. Je dois interviendre d'urgence extrême, que déjà il a déchiqueté le fond de culotte de Monseigneur, le primate des Gaules. Et qu'il arde faut voir comme ; du chibraque surchoix. Oh ! le monstre, ce goumi grand veneur ! Hélas, je n'ai pas mon manuel sous la main pour y lire la manière qu'on fait débander un gorille. Ce serait utile, cependant. Comme quoi le Français est imprévoyant. Venir en Afrique les mains aux poches, je te jure !

Bon, je laisse librer le cours (en hausse) de mon imagination.

Pour commencer lui shoote un coup de grolle dans les miches, justement, il a un cul large comme çui de la Princesse Margaret. Mais ça ne le rend que plus pressant, le moche bougre. La flagellation, il déteste pas, Albert, c'est même une découverte intéressante pour lui. Comprenant que je n'aurai pas gain de cause, je fais appel au grand Dieu de la brousse : le feu. Mon briquet. Sous les testicoloches à Jules. Alors là, y a changement à vue ; détournement de violeur. Hou là, là, Mme Claude ! Il lâche prise et se met à danser la gigue. Puis, comme la flamme de mon Dupont (tout est bon) continue de flammer, il prend peur et se sauve.

Étourdi et contrit, Béru palpe la malle arrière de son futiau.

— Ça alors, il ronchonne, si j'aurais attendu...

— Que veux-tu, Gros, tu es irrésistible pour les primates. Ils ne peuvent pas résister à ton sex-appeal.

Avec ce grotesque incident, j'ai laissé filocher Stromberg. Que faire ?

Je me décide pour une visite nocturne à Sa Majesté Bokassa.

Si elle n'est pas trop beurrée, peut-être m'éclairera-t-elle quant au rôle joué par le tueur dans sa vie d'exilé.

✻✻

Un valet fringué d'un habit à la française : bas blancs, souliers à boucles, vient m'opener. Gants de fil, s'il vous plaît, chemise à jabot. Et le revolver qu'il tient à la main est damasquiné.

— Police française, fais-je en brandissant la preuve de ce que j'avance. Je suis dépêché par le Cousin Valéry pour avoir un entretien privé avec Sa Majesté. Il s'agit de la sécurité du monarque (mon arc et ses flèches !).

— Sa Majesté est à table, répond le valet de panard.

— Elle pourra me répondre la bouche pleine, assuré-je, je ne m'en formaliserai pas.

Au lieu de poursuivre la converse, le valeton fait un pas de côté et appuie sur un timbre. Aussitôt, des sonneries se déclenchent tous azimuts, dedans, dehors, engendrant un vacarme forcené qui te fendillerait les tympans.

Il entend rameuter la garde du dehors, l'ami, car malgré les coups de feu tirés sur la terrasse, il ignore que les kamikazes du père Bok sont groggy. Ne voyant rien paraître, il se met à reculer, tout en pointant son arme sur mon inestimable personne à laquelle je tiens comme à la prunelle (d'Alsace) de mes yeux.

— Hé! déconne pas, Robespierre, lui lancé-je avec un sourire forcé, ce serait la source d'incidents diplomatiques très graves.

Des larbins se mettent à fourmiller, tous saboulés grand siècle : les filles comme les hommes. Les signaux sonores carillonnent toujours. Un gros chien danois surgit, au premier étage, et se lance dans l'escadrin. Fort heureusement, je sens le gorille et il s'arrête en grondant à quelques distances.

Son maître, l'Empereur déçu, qui a chu et se trouve déchu, paraît, en robe de chambre galonnée, damassée, repassée, chamarrée, moirée, étincelante. Il est pieds nus, là-haut, à la loggia. Vinasseux.

— Qui a laissé rentrer ce saligaud! fulmigène-t-il. Les gardes seront fouettés au sang! Foutez-moi ce type dehors! Sphinx! Mords-le. A la gorge, Sphinx! A la gorge, bordel de moi! Prenez des bâtons, cognez-lui dessus, tous! Et s'il fait mine de résister, abattez-le. Et puis tirez-lui donc dessus tout de suite : légitime défense! Violation de résidence! Vous me garderez les cuisses dans le congélateur, je boufferai ses couilles en meurette! La cervelle, meunière! Le reste des restes, je vous le laisse! Allons, abattez-le.

Mais ils n'osent pas, car Bérurier vient de surgir, la mitraillette en main. Et puis Pinuche, nanti d'une arme plus modeste. Et tout le monde s'entre-braque. Et ce sont les autres qui ont les foies, parce que, ne voyant pas intervenir la garde, ils se disent que, soit elle s'est rendue, soit nous l'avons neutralisée, ce qui n'est pas bon pour leurs pipes.

— Surveille ces gens, dis-je au Gros, et calme tout de suite les ardeurs susceptibles de se manifester.

Je grimpe cinq à cinq (voire même cinq à sept) l'escalier. Le père Bok éructe. Mal rasé, ou mal barbé, le regard sanguignoleur, la bouche crépie de denrées luisantes, il se tient les mains aux hanches et me dévisage venir sans crainte, mais avec haine.

— Admirable Altesse, je lui murmure, pardonnez cette intrusion, mais il est indispensable (d'Olonne) que je sache ce qu'est venu faire ici le dénommé Jan Stromberg, lequel vient de s'enfuir comme un dératé, je vous le signale.

— Qui êtes-vous, espèce de vermine puante ? demande le monarque (à deux cordes).

— Commissaire San-Antonio, des Services Ultra-Spéciaux français.

— Tous des puants, des va-de-la-gueule, des enculés, des lopes, des pédés...

— Nous ne sommes pas ici pour participer à un concours de synonymes, Votre Majesté. Des choses terriblement significatives et fluocarées sont en marche, si l'on veut espérer en détourner le cours, chacun doit participer.

Tout en causant, je phosphore dans l'arrière-salle de mon cerveau, et je me dis que ce Bokassa-là est bidon. Ressemblance frappante, certes, et qui peut faire illusion, mais enfin, ce n'est pas Bokassa. Et alors, bon, très bien, ne te gratte pas toujours les couilles pendant que je cause ; la question se pose, et se superpose, que dis-je : elle s'entrepose : pourquoi a-t-on installé un faux Bokassa à Sassédutrou, dans cette vaste demeure branli-branlante, pompeuse et tout, qui évoque une sous-préfecture africaine de l'époque impériale française ? A quoi bon ? En vue de quoi ?

Mon terlocuteur me foudroie du regard.

— Si vous ne déguerpissez pas dare-dare, j'appelle les autorités ivoiriennes.

— Eh bien ! appelez-les, Monseigneur, appelez-les, nous nous expliquerons en leur présence.

Le faux empereur destitué hésite. Il crache à mes pieds une chose épaisse et pas ragoûtante.

— Je vous tuerai, promet-il.

— Venant de vous, la mort sera un honneur, Tajesté, lui rétorqué-je.

Je m'avance d'un pas. Mon feu sur sa bedaine :

— Et maintenant, Julot, cesse de faire le branque, sinon j'allume tes tripes, ajouté-je. Y en a classe de tes simagrées de polichinelle, tu n'es pas davantage Bokassa que je ne suis Jean-Paul II. Je suppose que tu constitues une sorte d'abcès de fixation qui permet au vrai de vivre plus librement. M'en torche. Ce qui m'intéresse c'est tes rapports avec Stromberg. Si tu ne me le dis pas de gré, tu me le diras de force, espère. Je suis ici pour ça ; compris ?

Un tel langage lui ôte sa superbe. Il ne songe plus à vociférer, l'apôtre. Il est tout coi, tout con ; indécis.

— Je ne peux pas parler, assure-t-il, c'est très secret.

— Si on ne parlait pas pour révéler des secrets, il vaudrait mieux se taire, Ernest. Viens dans un coin tranquille, qu'on se paie un tête-à-tête fraternel, franc et massif.

Dès lors, il se met à descendre l'escadrin pour me driver à son salon particulier. Les gens du bas nous regardent évoluer sans piper. Tu croirais un musée Grévin noir. Reconstitution de la fameuse scène hystérique : « Visite nocturne du fameux San-Antonio au faux empereur Bokassa Dernier, en présence du connétable de Béru et de l'archiduc Pinuche, dit le Chieur.

Silence, yeux braqués, respirations contenues. Juste le bide de la Vieillasse qui gargouille sous l'effet désastrueux du piment.

Et c'est dans ce recueillement général, maréchal, même, que le pataquès se produit. Un fracas de vitres brisées. Et des salves de mitraillettes. *In petto*, j'enrogne. J'aurais dû rassembler les archers du dehors et les donner à garder à Pinaud. Bougre d'imprévoyant ! Et ça se dit commissaire ! Et ça se croit héros de roman ! Glandu, connard : une loque ! Un désastreux.

Je me jette à plat ventre sur les marches pour éviter la nuée de frelons ardente. Car les guérilleros ne font pas de quartier : ils arrosent à tout va.

Ça se met à glapir dans la strasse. A hurler fort, à mourir bruyamment. Dominos, dominus, vobiscum : ces messieurs dames s'écroulent, soit délibérément, soit pour cause de carnage. Confusion indescriptible. Le Gravos riposte. Il arrose copieusement la fenêtre incriminée. Les salves extérieures cessent. Le Gravos sort en courant. Ça pétarade encore un peu, dehors. Puis le calme nocturne reprend ses droits. Béru ramène sa courge :

— Un malin qui était sorti du sirop et qui s'prenait pour Jeanne d'Arc à la bataille d'Marignan. A présent, il est plombé comm' une ceinture d'plongeur sous-marin.

« Pinuche, sans vouloir t'commander, au lieu d'nous embaumer av'c ta chiasse, tu f'rais mieux d'aller surveiller les p'tits garnements du dehors. »

Pour ma part, assis sur les marches, je prends conscience du désastre. Mon pote le faux Bok gît, la tête en bas, ce qui facilite l'écoulement du raisin dégoulinant de sa tronche éclatée.

Dans le hall, quatre ou cinq personne mises à mal agonisent ou attendent qu'une main charitable leur ferme les yeux. A part ça, tu te croirais dans une boîte de nuit de Madrid, la manière que ça joue des castagnettes dans les clapoires.

On affiche « Nuit de terreur sur Sassédutrou », les gars ! *Terribly* impressionnant !

Depuis mon escalier, je soupire :

— Des gardes du corps comme ça, vaudrait mieux les remplacer par des demoiselles des pététés, merde ! Ils marquent des buts contre leur camp, vos zouaves ! Flinguer comme un garenne ceux qu'ils sont chargés de protéger, c'est nouveau comme rodéo !

Castagnettes. Une volée. Olé ! Olé ! Je martèle du talon, machinalement, pour accompagner. Le sens du rythme, c'est inné chez moi. Les claquements de ratiches, mes légers coups de talons précipités, composent un début de mélopée. Mes potes noircicauds, tu les connais ? Ils ne peuvent résister. Y en a un qui se met à fredonner du pif. Un autre, ainsi sollicité, reprend. Et puis une petite femme de chambre, chaussée d'un cul télescopique à injection directe, frappe dans ses mains. Et on décarre, tous ensemble : les vivants et même les blessés pour un étrange négro spirituel plutôt macabre, faut admettre. J'admets. Bon. On est pris par la magie de l'instant.

Dehors, la diarrhée à Pinaud refait des siennes, et un peu des nôtres du même coup. Fond d'orage. Jamais vécu encore une aussi singulière situasse. L'instant a de la gueule. Shakespearien, quoi. Tous ces Noirs affolés de trouille, sanguignants (1) qui claquent des dents, battent des mains, chantent du nez. L'oraison funèbre du pseudo Bokassa.

Je parviens mal à m'arracher. L'ambiance est épaisse comme du miel fondu. Il s'agit d'un moment hors du temps. Tu le subis sans t'en dépêtrer.

Béru accompagne aussi avec des pets. La voix de son âme passe toujours par son gros côlon. Ça ne nuit pas. Il ne faut pas craindre. Tout mode d'expression est valable, ce qui importe c'est ce qu'il tente d'exprimer.

Et puis une vieille gonzesse à cheveux blancs, jupes relevées sur des cuisses de jument poulinière, lance un cri hystérique et commence de trépigner gauchement, telle une tortue de mer à la renverse, comme celles auxquelles ces fumiers de pêcheurs crèvent les yeux, pas qu'elles leur filent des coups de patoune lorsqu'ils s'en approchent.

Une autre gerce entre en crise.

Allez, le charme est rompu. Je me dresse.

— Stooooooop ! hurlé-je.

Un peu de calme est aussitôt rétabli.

— Parmi vous, quelqu'un sait-il ce que le Blanc qu'a reçu son Altesse est venu faire à la Grande Maison ? demandé-je à la, tu sais quoi ? Ronde !

Ma question, c'est un boomerang. Faut du temps pour qu'elle volplane dans les tronches avant que de me revenir.

---

(1) *Oui j'ai écrit sanguignant et je te compisse la raie.*

Quand elle est nouveau à dispose, je la relance, mais autrement.

— Celui ou celle qui saura me parler du salaud de Blanc qui s'est enfui et qui a causé ce grand malheur aura droit à un abonnement d'un an au *Chasseur Français*, au salut militaire, voire même au salut éternel.

Une main se lève, celle d'un maître d'hôtel.

— Moi, j'y sais, m'sieur.

— Je t'écoute.

— Il est venu voir Sa Majesté l'Empereur.

— Pour lui dire ou lui faire quoi ?

— Ah ! ça, j'y sais pas...

— Qui d'entre vous pourrait me le dire ?

Mutisme général. Ces chéris s'entre-défriment en gobillant des vasistas. Yeux blancs, haleine du pingouin. Personne n'est au parfum.

— Sa Majesté avait-elle un secrétaire ?

Le valet de chambre dégourdi lève une fois de plus la paluche.

— Oui, M'sieur, l'avait.

— Où se trouve-t-il ?

— Dans sa chambre, contre le mur. Il est en acajou.

Ecœuré, j'enjambe le sosie de Bokassa-les-belles-cassettes. Rien à espérer, je perds mon temps, mon énergie et les poils de mon cerveau.

— Attendez-nous ici, tous, enjoins-je, on va chercher des secours, faites le ménage pendant ce temps.

Je fais signe à Béru de me suivre.

Sur le perron, la forme accroupie, si pitoyable, de Pinaud en effort, geignant, éternuant du rectum, psalmodiant contre le piment.

— Allez, grouille : on s'en va ! lui crié-je.

Evangéliste est toujours à son volant de jeep, imperturbable.

— Tu as fini tout ton travail, patron ? il me demande.

— Pourquoi ?

— Parce que si tu voudras bien m'enlever la bombe, ce serait gentil.

Pauvre pomme ! Je le déloge de son siège.

— Tiens, voilà un boîtier de lampe électrique, Dugland, tu mettras la bombe dedans et tu obtiendras une jolie lumière.

On enjeepe. Fouette cocher !

CHAPITRE CÈPE (1)

Une lueur indigo embrase le ciel bleu de nuit (et pour cause !).

Le feu !

Je vois galoper des Blacks presque nus, sur la route. Armés de seaux et autres récipients emplis d'eau, ils foncent vers l'incendie qui dévore la forêt, à la limite de Sassédutrou. Le sinistre mobilise la population du coin ; ceux qui veillaient ont secoué ceux qui dormaient et tout le monde se remue les fesses : hommes, femmes, enfants, moines, vieillards, chiens, cochons, couvées, singes savants, apprentis sorciers. Pompiers improvisés, ils cavalent en direction des flammes, dans la louable intention de les éteindre.

Je stoppe pour laisser déferler la horde des volontaires affairés.

Un jeune Noir, à gueule de prophète, le crâne rasé, vêtu d'un boubou plus lumineux que l'incendie, observe la scène, les bras croisés.

— Qu'arrive-t-il ? lui lancé-je.

Il hoche la tête et, d'une voix mélodieuse et antidérapante, déclare :

— Un incendie, consécutif à un accident de voiture.

Mû par un pressentiment, je coasse :

— Un accident de voiture ?

(1) *Dédié à la Bordelaise.*

— Un automobiliste trop pressé a voulu quitter la route pour emprunter le chemin que vous apercevez sur la droite. Il s'y est pris de telle sorte que, déséquilibré, au bout de quelques centaines de mètres parcourus en louvoyant, il a fini par percuter un arbre. Son véhicule s'est enflammé sous l'impact, communiquant le feu à la forêt. Comme toujours en pareil cas, les pompiers tardent...

L'intellectuel ivoirien hausse les épaules.

— Ce chemin n'est pas destiné à la circulation automobile, mais aux seuls piétons, il est navrant de voir un maladroit s'y engager avec tant de fougue et d'inexpérience.

— Le conducteur a du mal ?

— Je n'en sais trop rien, mais si la chose vous intéresse, vous pouvez toujours vous enquérir sur les lieux du sinistre.

Je prends note de son conseil et, abandonnant provisoirement mes deux amis, m'élance à travers la foule.

Pour tout te dire, et surtout ne rien te cacher, la vision, quoique dantesque, est également féerique.

L'auto s'est jetée à l'assaut de l'arbre un Pechiney Kuhlman à terme de toute beauté, en hausse tu parles ! Ayant explosé, elle a pris feu, les flammes se sont emparées du tronc (pour le denier du trou du culte), puis communiquées au feuillage. De là, elles ont agressé les arbres avoisinants. Si bien que pour l'instant, le feu ne touche pratiquement pas le sol ; il festonne à trois mètres de hauteur, ce qui est insolite, d'un très joli effet, mais rend les rudimentaires moyens de lutte inefficaces.

Le brasier dégage une telle chaleur que je ne peux demeurer sur place très longtemps. Les bons Noirs s'agitent en s'égosillant, se hissant de leur mieux pour virguler de dérisoires seaux d'eau qui leur retombent sur la frite.

Une nouvelle fois je m'efforce d'approcher l'auto. Elle est presque translucide dans le feu. En y regardant attentivement, j'aperçois une forme humaine au volant, minuscule déjà, réduite par la combustion. Stromberg a eu une fin digne de sa vie. Le tragique appelle toujours le tragique, à croire que le sort ratifie les actes d'un homme en lui réservant une mort en rapport avec l'existence qu'il a menée.

Mais mégnace gommeux, tu peux croire que je me sens fichtralement marri (voire même Joseph) de ce coup du sort. Stromberg mort, le faux Bok mort, je ne saurai donc jamais ce que ces deux-là manigançaient, ni à quoi rimait le fameux objet mystérieux auquel le tueur tenait tellement ! A moins que...

Oui, après tout, peut-être le retrouverai-je dans la carcasse de l'auto, quand l'incendie sera maîtrisé.

Toujours est-il que c'est peut-être demain la veille, mais en tout cas pas pour cette nuit. Il propage à toute vibure, le brigand, poussé par un vent à la con venu de la mer.

Harassé, déçu, grognu, mécontu, je retourne auprès de mes guérilleros de bistrots.

* *

Un qui n'a pas visionné ça, n'a vu que le catalogue couleur de la Redoute, le Pèlerin-Dimanche, l'œuvre reliée peau de zob de Canuet et la tour Eiffel dans la petite lentille grossissante d'un porte-plume.

Un qui n'a pas idée de ça ignorera tout de la sensualité.

Allons, viens avec moi, maintenant que t'es grand, je te vas montrer du neuf, de l'estravagantissime.

On pénètre dans la chambre où a été ligoté M'sieur Gracieux, le gros terrible Noir venu m'enquérir et, au besoin étant, me quérir. Il est toujours saucissonné de première, l'ouvrage ayant été accompli par Bérurier-le-Grand ; et tu vas voir que ce merveilleux verbe lyonnais est judicieux quand tu sauras que Lady Meckouihl et sa gente secrétaire (à tout faire) ont décolleté la braguette du chef de gardes pour lui extrapoler l'Anatole. La fofollingue Britannouille est toujours beurrée, contente de l'être,

portée sur les choses du plaisir et de la franche rigolade
tout-terrain.

Elle a entrepris un jeu peu courant parce que difficile à
pratiquer, faute de l'accessoire principal qui est un pénis
de soixante centimètres, dimension peu commune, tous
les manuels scolaires te le diront. C'est pourtant, à vue de
nœud, la taille qu'atteint l'embouchoir de M'sieur Gracieux. Même notre pote Félix, le professeur surdimen-
sionné, ferait ouistiti branleur en comparaison de M'sieur
Gracieux. Il signerait avec Barnum, sa fortune serait faite.

Du moins, devrait-il absolument tourner des films
« X ». Il deviendrait le Sidney Poitiers de la production
porno.

C'est tellement abusif, un paf pareil. Tellement pas
pensable, qu'à première vue on n'y croit pas. On pense
qu'il a passé un bras à travers son bénouze et qu'il le
brandit par la braguette pour produire un effet comique.

Alors, donc, je te disais : une bite de soixante, rond-
douillarde, Fleur de Coin. Les deux Anglaises font joujou
de la manière ci-jointe : elles se sont disposées de part et
d'autre du gaillard, l'hémisphère sud totalement dénudé.
Sont à croupeton, les jambons bien écartés, la moulasse en
panier de basket.

L'une des frivoles tire à elle, la biroute à M'sieur
Gracieux, comme on tendait jadis le style d'une catapulte.
Elle vise bien la cible qui est, pour mémoire, la chatte de
la partenaire. Elle a le droit de rectifier la position de
ladite : « un peu plus haut, ou plus bas ; plus en arrière,
présentez-vous davantage par la gauche, etc. ». Quand
elle a jugé de son mieux, elle lâche le paf du bonhomme
qui s'en va frapper l'ouverture visée. Si la tête du nœud
tape dans la babasse, c'est gagné. Sinon, la queue change
de main. Lorsque c'est gagné, celle qui a mis juste a le
droit de chevaucher le membre à M'sieur Gracieux pour
dix allers et retours, lents ou rapides, au choix, mais avec
interdiction formelle de faire défoutrer M'sieur Gracieux,
ce qui interromprait pour un temps indéterminé ce jeu
passionnant.

Cet exercice établit la suprématie de Samantha, car effectivement, la jeune femme vise une cible beaucoup plus béante que celle qu'elle met à la disposition de son adversaire. Par contre, elle est obligée de prendre possession de son lot d'une façon plus étudiée, sa jeunesse incitant M'sieur Gracieux à l'abandon intégral, bien davantage que la pendouillasse grise et britannique de Lady Meckouihl. Le gros Noir trouve le jeu formide, mais supplie qu'on le mène à terme. Il gronde que ça dure depuis plus d'une heure et qu'il voudrait bien se faire rigoler le Frédéric une bonne fois, crénom ! Ça fait douche écossaise pour ses sens, ces manigances. Par moments, il en a un fléchissement de rapière et ça se met à détringler dans son mandrin, qu'une de ces chères mutines, vite vite, est obligée de le refaire chauffer au bain-marie par une fellation express qui, rapidos, vu qu'il est d'un tempérament d'airain, lui ramène le zig et puce solide comme les espars goudronnés jalonnant la lagune de Venise.

Notre venue apporte un sang neuf à ces facéties grandes-albiones. Bérurier, inventif comme toute la salle de rédaction de *France-Dimanche,* y apporte une variante, comme quoi c'est lui qui prendra la gagnante dans ses bras et la déposera, à tâtons, sur l'épieu de la victoire. Adopté ! La lady, survoltée, fait si juste qu'elle gagne d'entrée de nouveau jeu. Bravo ! Bravo ! Alexandre-Benoît la saisit, pareil que tu saisis ton petit dernier lorsque tu tentes de lui apprendre à être propre, et, après une visée sommaire, descend la douairière, derrière en tête, en direction du mât de cocagne que Samantha maintient immobile et vertical, double condition de réussite. Mémère glapit qu'il y a maldonne pour une pincée de centimètres anglais et qu'elle morfle le Prosper à M'sieur Gracieux dans le prose. Jamais son lord ne l'ayant sodomisée, il réservait la chose à son neveu Richard, elle est inapte à pareil hébergement, comme ça, tout de go (en anglais : *all of go*).

— Hé ! molo, échauffe-toi pas le système, ma vieille pâquerette, la calme le Royal Bouffeur, on a droit à une erreur, non ? C'est pas pour espédier la gélule Apollo dans la planète Mars. Si j'aurais au moins un' glace pour assurer l'tir, mais j'sus là, à marcher à pas d'loup, sans visibilité. Note qu'av'c la mollusque qu'tu trimbales c's'rait ben la guigne que j'te ratasse. Ton frifri, la belle, est éclaté comme une courge tombée d'un camion. J'en sais, des timides qui t'baiseraient juste les recoins, pas t'déranger le minouchet. Allez, on r'met ça. Gaffe à la manœuv' là-dessous. Bougeons plus : l'petit zoziau va rentrer. L'con à rebours est commencé. Un, deux, trois, quat', cinq', zéro !

« C'est parti ! Ah ! c'te fois, j'sens qu'on tient la gagne ! On a ferré mémère. Y a anguille sous roche. La v'là qui pâme. Elle a une gueule comme une tarte aux fraises. Et un petit air d'trombone en coulisse pour mahâme ! Allons z'enfants, de la Patri i e… Regardez, ce panard qu'elle mijote, la mère Lady ! Tomber sur un tel turlut d'éléphant, faut du pot, non ? Régale-toi, l'ancêtre, à ton âge, tu r'trouveras jamais plus un article pareil. Cent ans aux prunes, et tu t'fais glisser l'braque du siècle, merde, tu pourras aller faire cramer un cierge à où-est-le-Munster, remercier la Sainte Vierge d'ses largesses. Charogne, c'est qu'elle en prend pour l'restant d'ses jours, Mistress Madame ! Matez jusqu'où qu'je la descends. On est à mi-jauge, non ? Mam'selle Samantha, jalousez pas, vot' tour viendra. Par curiosité, ça vous ennuillerait-il d'contrôler ce qui reste hors cul av'c une ficelle, on m'surera après. Moi, je parie qu'vot'taulière s'en paie l'un dans l'autre trente centimètres Fahrenheit dans la manche à air, comme ça, à vue d'nez, étant donné ma mal plaçance ? Ton avis, César ? Ben penche-toi, quoi ! Oh ! l'pauvret, maint'nant il a les muscles en fibrociment ! Comment dites-vous, Maâme Lady ? Vous êtes à saturation ? Ben vous pouvez, ma p'tite : la manière qu'j'vous ai laissée gloutonner d'la chatte ! N'importe qui, et même ma Berthe, aurait crié grâce avant la dose colosse qu'vous vous octroyez. Dites, faut pas vous en promettre ! Comme éteignoir à cierges, on peut pas rêver mieux qu'vot'cor

d'chasse. C'est les monts d'Auvergne ! Le gouff'd'P'pa
Chirac ! Viens m'la soutiendre un instant, Pinuche, que
j'voye de visu. J'ai b'soin d'regarder d'mes yeux vus, une
bastringuée d'c't'ampleur. Qu'ensuite j'peuve raconter,
narrer dans les détails réalisses. Une amphigouri sembla-
ble ! Hé yayaille ! Tu m'la soutiens la milady, Bazu ?
Arque-toi, c'est pas qu'elle soye lourde, mais tu déliques-
ces un brin, vieux schnock. Note qu't'as jamais été
Tarzan. Tu y es ? Voilà ! Seigneur, ce spectac' ! De toute
beauté ! Tu croirais un coq d'clocher, la Mistress. Qui
s'rait enfourré su' son axe. Fais-la tourniquer un brin,
comme si la brise la remuerait... Ell' glapit ! C'est la vraie
véritable digue de l'oigne, n'est-ce pas, même
Meckouihl ? J'parie qu'elle est capab' d'en digérer encore
un p'tit chouïa, pas vrai, ma jolie ? Si si, rebiffez pas,
j'su'sûr d'vot'fait. Si ça d'vient douloureux, vous l'dites.
Pinuche, tu me la descends encore d'un iota, si tu voudras
bien. Molo, hein ? Viens pas m'la perforer. Qu'est-ce
j'disais ! Elle en biche encore trois bons centimètres. Les
vioques, c'est ça, leur avantage. Elles sont blettes de
partout et fouettent un peu l'renfermé, mais question de
choper un chibre, pardon, chapeau, elles répondent
présent. Visionnez, visionnez bien, tous ! Où qu'il est
passé, le big zobard au Négus, hein ? Ce n'est qu'un au
revoir, mes frères, ce n'est qu'un au revoir ! C'qu'vous ne
voyez plus à l'étalage se trouve à l'intérieur. Dedieu, qui
qu'a un Kodak ? C'est dans des instants semblab' qu'en
faudrait ; au lieu de tous ces touristes qui flachent à qui
mieux mieux l'Accroc d'Paul, le Sphincter des Jeep, ou
Bouquinegamme Palace. J'aimerais tirer une série des
preuves. J'la photographerais à fond de course, mémère,
et puis un peu plus levée, et encore un peu plus, par
paliers, quoi, comme quand t'est-ce tu r'montes de
plongée ; jusqu'à ce qu'on voye l'zob à Jules dans sa
splendeur entière. Mais y croirait à un montage. Tant
tellement qu'ça paraît impossible, c'phénomène. Qu'est-
ce t'as Pinuche ? Qu'est-ce tu brames ? Qu't'as envie
d'éternuer ? Ben gêne-toi pas, mon pote, j'préfère ton

rhume des foins à ta diarrhée, c'est moins salissant. Matez
ce vieux nœud qui contorsionne de la frime pour s'retien-
dre d'éternuer. Allez, Vieille Nippe, atchoum ! Ça y est !
Oh ! mon Dieu Seigneur Jésus, Marie, Joseph ! Le boug'
d'emplâtre. Il a lâché Mémère ! Ma pauv' baronne, va !
Défoncée à outrance ! Elle s'est évanouise, non ? Courez
chercher d'la gnole, bordel ! Tout l'monde su'l'pont ! Un
docteur, p't'être ! Et l'autre bamboule qu'a le paf cassé !
Vous parlez d'un circus ! Retirons la vieille d'autour
d'c't'queue, vite ! Vous croiliez qu'elle est éventrée ? Faut
reconnaît' que c'était guère d'son âge, des jeux pareils.
J'sais pas si la Couine Victoria s'est enquillé des poteaux
télégraphistes pareils à l'époque qu'elle était vioque
comme Jérusalem ? Filez-lui de l'eau sur la frime ! Elle
respire un brin ? Qu'est-ce tu fais, César, sacré nom
d'Dieu ! Il chie encore ! L'émotion ? Mais tout te fait,
quoi ! T'es plus sortab'. Prends ta retraite et retire-toi
dans une chiotte. On t'y f'ra mett' la téloche, ça t'aidera.
Mam'selle Samantha, sans vouloir vous enjoindrer, v'lez
mater si vot maîtresse aurait esplosé du fion ? La bite à
c'gros dégueulasse y a r'monté jusqu'aux poumons, non ?
Franch'ment, Pinaud, t'es criminel dans ton genre. Tu
pouvais pas m'la débiter avant d'éternuer, dis, bourrique
malade ? La larguer comme un malpropre su' son paraton-
nerre à veine bleue, j'vous jure ! T'es franch'ment à bout
d'course, l'ancêtre : bon pour la casse. Jusque z'alors
t'avais toujours su préserver l'savoir-viv'. Jamais t'aurais
laissé quimper un' vieille gonzesse d'la haute su' une
biroute d'un gredin noir, jamais ! J't' reconnais plus. Je
t'cause pas commak d'gaieté de cœur, croye-moi. Mais
c'est très grave, ce que t'as fait là. Une vieille lady si
choucarde, intrépide du radada. Tu l'aurais poussée par la
fenêt' du douzième, c'serait pas été plus pire. Maint'nant,
é va p't'être clamser ; et Môssieur Pinaud, vous croiliez
qu'il s'perd dans les remords éternels ? Pensez-vous ! Lui,
il se vide la boyasse, tranquillos, comme un bon père
d'famille. J'sus écœuré par ton altitude, la Gâtoche.
Hein ? Quoi, t'as pas fait esprès ! Manqu'rait plus qu'ça !

Et l'autre Amibe Dada qui gueule pour une bite brisée !
Hé ! dis, l'surpafé, mets-y une sardine ! A moi, c'est les
oreilles qu'tu m'casses. Tu brosseras à l'équerre, doré de
l'avant. Ah ! t'as l'air fin quand tu dégodes ! On dirait un
poste d'essence. Dites, on dirait que M\ :sup:`me` Lady refait
surface. Alors, ma vieille poule, t'en as vu de dures, hein ?
Qu'est-ce elle dit ? *Fire !* Pourquoi qu'cause plus français,
elle est fâchée ? Ça veut dire quoi t'est-ce, fire ? Feu ? Elle
a le frifri en feu ? Ah, dame, va falloir qu'é se beurre la
tartine pendant quéqu' temps. Décidément, on peut faire
réchauffer sa gamelle dans c'patelin, entre la forêt et le cul
de mahâme qui sont en feu ! Pour l'coup, moi ça m'donne
soif. »

Et Alexandre-Benoît Bérurier se tut enfin.

CHAPITRE JÉSUITE (1)

L'aurore relaie l'incendie.

Principe des vases communicants.

Il faut dire que, depuis une bonne heure déjà, un Canadair s'active, venu d'Abidjan, pour juguler le sinistre.

Et il est sinistre, le sinistre. De la fenêtre de ma chambre j'aperçois, à perte de vue, la forêt proche, fumante, calcinée, avec de-ci, de-là, des embrasements tenaces car le feu est indomptable.

Mais le jour s'épanouit, et tout va mieux dans les cœurs après cette nuit de folie. On a dû conduire Lady Meckouihl à l'hôpital de Sassédutrou. J'ai rendu sa liberté à M'sieur Gracieux, après lui avoir promis d'autres sévices s'il se risquait à nous attirer de nouveaux ennuis. Bérurier a découvert une caisse de vin, dans les arcanes de l'hôtel ; quant à Samantha, brisée par l'émotion, elle a fini la nuit dans mon lit cancreleux, ce qui était la solution la plus raisonnable.

Elle a écrasé avec ses fesses un grand nombre d'insectes mystérieux et rébarbatifs qui raviraient un entomologiste.

Je me lève et cherche en grand vain une salle d'eau. L'unique salle de bains du Palace, qui comporte un lavabo et une douche, est en rideau, because l'incendie qui a épuisé les réserves. C'est donc à l'Evian que je me lave les

(1) *Dédié au Père Bruckberger.*

chailles et vingt-cinq centimètres carrés de visage. Après ces maigrelettes ablutions, je pars sur le chantier de la guerre.

Primo : mes hommes.

Pas fraîches, les troupes. Et plutôt décimées puisqu'elles sont réduites de moitié. En effet, seul Béru occupe la chambre. Il est ivre à ne plus pouvoir décoller sa langue de son palais avant plusieurs jours.

Je le secoue rudement. Un de ses stores se soulève un tantisoit (qui mal y pense) et il demande :

— Mrrrr ?

— Où est César ?

L'Obèse prend une espèce d'élan à l'intérieur de son subconscient et articule un mot qui pourrait être le mot « yougoslave ». Je le presse de répéter intelligiblement.

Nouvel effort surhumain. Puis ses lèvres s'écartent de deux millimètres et, par la fente, il laisse filtrer :

— Pinaud se lave.

— Où ? Il n'y a plus d'eau.

— La mer.

— Il est allé se laver dans la mer ?

— Mrrroui. N'p'vait pl' r'ster comm'ça.

L'odeur de la chambre confirme le bien-fondé de cette affirmation.

Il soupire :

— D'main...

Puis se referme hermétiquement et bascule dans les plus noirs oublis qui soient.

En bas, dans le hall du « Grand Hôtel-Palace », le directeur de l'établissement passe l'aspirateur, un vieil engin qu'on lui rachèterait un bon prix pour le mettre dans une collection privée. Ça ronfle, ça hoquette, et il en jaillit des volées d'étincelles. En plus, ça n'aspire que quelques scarabées écrasés et des capotes anglaises balancées dans le hall par la cage d'escalier après usage.

Il essuie de son coude droit douze centimètres d'excellente morve suspendue à son nez.

— M'sieur, me dit-il, y a la police, elle veut te voir.

Elle dit, y faut que tu passes d'urgence, mon vieux, rapport à un mort qui est mort.

Je sens s'astrakaner mes poils sous les bras.

J'aurais dû me douter que l'affaire de la Grande Maison aurait des conséquences. Déjà, je me vois embastillé dans un cul-de-basse-fosse à Sassédutrou. Pas joyce ! Je ne suis pas maniaque du manioc et les punaises de l'Hôtel-Palace me suffisent.

— Où se trouve la police, patron ?

L'aspirateur-driver se remouche de la même manière que précédemment.

— Mon vieux, tu peux pas te tromper. Tu vois la rue principale qui est toute seule ?

— Oui.

— Eh ben c'est pas là, mais tu connais la place Zimboum-Lala qu'est au bout ?

— Je crois.

— Eh ben c'est pas là non plus; mon vieux. Pour la police, tu prends la route de l'éroport. Tu regardes une maison, y a comme ça écrit dessus « Gendarmie Nele ».

— Pourquoi Nele ?

— Parce qu'a un gros N et un autre tout petit avec un e. « Gendarmie Nle », tu comprends ?

*
* *

Un aimable gendarme noir foncé, en chemise à manches courtes et pantalon clair me reçoit. Jeune, beau, lunetté d'or. Il me sourit.

— J'ai appris que vous étiez parmi nous, commissaire, et je suis honoré de vous accueillir.

Il me désigne un fauteuil de rotin, qui rote d'ailleurs quand je m'y dépose.

— Une cigarette ?

— Non, merci. De quoi s'agit-il, brigadier ?

— Vous étiez bien accompagné de l'inspecteur Pinaud ?

— Effectivement, pourquoi ?

Ce tour inattendu de la converse me chope au tu sais où ? Dépourvu. Le taulier de l'hôtel m'a dit que la police voulait me voir à propos d'un mort. Un tel préambule, truffé d'un imparfait redoutable, laisse entendre que ce défunt serait...

— J'ai le regret de vous dire que l'inspecteur Pinaud est décédé, déclare le jeune, noir, lunetté et beau gendarme, en conservant le sourire amical dont il ne se départ que dans les cas de constipation rebelle.

Cette affreuse nouvelle me glace l'âme.

Je reste marmoréen, inodore et sans saveur.

Il paraît assez content de son effet et repart :

— L'inspecteur Pinaud se baignait dans la mer, près de l'embouchure du Boû-Riko. Il avait déposé ses vêtements sur le rivage après avoir lavé son pantalon. Il se trouvait au large, lorsqu'un Canadair s'est posé sur le flot, sans le voir, le tuant net. Nous savons la chose par des pêcheurs qui ravaudaient leurs filets à proximité et qui ont assisté au drame. Lorsque le Canadair est reparti, ils ont mis une barque à l'eau pour se porter au secours de votre collaborateur ; hélas, le corps avait coulé et seule, une tache de sang subsistait à la surface de l'eau. C'est en inventoriant ses vêtements que j'ai pu découvrir qui il était.

Comment parviens-je à balbutier :

— Je vous remercie, docteur.

Du bout des lèvres ?

Mystère.

— Puis-je vous proposer un peu d'alcool, monsieur le commissaire ? s'emploie le jeune spéléologue distancié.

— Non, merci.

Il reprend, comme un pour qui la fin des autres est beaucoup plus envisageable que la sienne :

— Nous parvenons à juguler l'incendie de forêt.

— Tant mieux.

— Il est consécutif à un accident de voiture survenu à un touriste dont nous n'avons encore pu percer l'identité.

— Ah bon ?

— Il a brûlé entièrement, et avec lui tout ce qui aurait permis de l'identifier. Je viens de câbler le numéro de l'automobile à Abidjan ; il semblerait, d'après la carcasse, que c'eût été un taxi.

— Ah oui ?

Il a beau jacter, m'entretenir de choses qui me passionnaient encore il y a cinq minutes, je ne prends pas garde à ses paroles.

— Cet homme semblait revenir de la Grande Maison, continue le laryngologue sous-cutané. Pourtant, là-bas, ils déclarent n'avoir reçu aucune visite.

— Ah ! Vraiment ?

Mon interlo (poilde)cuteur m'adresse un clin de z'œil.

— Vous savez, je suppose qui habite la Grande Maison, commissaire ? Votre séjour à Sassédutrou le prouve...

— Je, eh bien...

— En effet : le père Bok. Il est trop turbulent pour habiter Abidjan, notre gouvernement l'a installé ici, en lui recommandant de ne pas sortir.

— Ah ! Parfaitement, grabatule, l'ahurissant Antonio.

— Ce qui, continue le caviste vertébral, ne l'empêche pas de traverser parfois la rue principale à cent cinquante à l'heure au volant de sa Porsche.

Moi, je m'en branle de Bokassa, du vrai et du faux, de celui qui vit et de celui qui est mort, je m'en torche de l'enquête au gendarme binoclé ; et que les habitants de la Grande Maison n'aient pas fait état du massacre de la nuit. Je pense à Baderne-Baderne, au Fossile, à la Vieillasse, à la Pine, au Bêlant, au Miroton ! A la vieille Pantoufle.

J'ai mon Pinuche en travers du cœur, et de la gorge, et de l'estom'. Pinaud, mon Pinaud !

Je m'arrache à mon siège.

— Merci, dis-je.

— Attendez, monsieur le commissaire, je vais vous faire un paquet de ses vêtements.

— Pas la peine.

Je hèle un vieux Noir à cheveux blancs qui passe devant la porte :

— Hep ! ça vous intéresse, ça ?

Il s'approche, considère les hardes que je lui désigne et amorce un sourire.

— Oh, oui, très chouette, M'sieur, t'es gentil.

Le gendarme a placé les papiers et menus objets dans une grosse enveloppe jaune ; et c'est lesté de ce mince et lugubre héritage que je reprends le chemin de l'hôtel.

⋆
⋆

La nouvelle réveille tout à fait Bérurier. Frais comme une fosse septique, il reste un moment au travers de sa couche vibrante de cloportes, les paupières pareilles à deux louches à potage renversées, le chapeau sur le front, le nez encombré de broussailles grumeleuses.

Il remue difficilement ses lèvres, comme on remue les pieds dans des bottes embouées. L'émotion le terrasse. Il devient blême sous la toile d'araignée violette posée sur sa face, telle une voilette.

Et alors, chose dantesque, chose atroce. Deux formidables larmes, semblables à celles que pleure le gros cierge d'une abbesse interprétant son con sert tôt d'après matines, la mâtine, roulent sur ce flamboyant visage glacé soudain par le chagrin.

Il ne les essuie pas.

Se lève en ahanant et va pisser par la fenêtre.

— Comme s'il aurait b'soin d' se laver, murmure le Gros. Ça n' lui arrivait presque quasiment jamais, et faut qu'il est venu en Afrique pour avoir un' idée aussi tordue, c' vieux glandu ! Tout ça sous prétesque qu'il avait bédolé dans ses nippes, comme si ça constituerait un cas de force motrice, bon Dieu d' bois !

Son jet personnel, impétueux, crépite sur la terrasse du « Grand Hôtel-Palace ». Il a la biroute glorieuse, au lever, l'Artiste, mais contrairement à la plupart des bonshommes chez qui l'érection matinale n'est guère utilisable, parce que résultant d'une simple pression momentanée de leur prostate sur leur urètre, chez lui, la bandaison est presque endémique et il faudrait pas mal d'acide bromhydrique pour atténuer cet état de gloire.

Donc, il pisse et pleure, et lamente tout à la fois, vidant sa peine et sa vessie avec une égale prodigalité, lorsque tout à coup, il cesse de licebroquer et de larmoyer.

Lance en main, il regarde.

Quoi, que regarde-t-il ? Il ne sait pas : l'eau. Le bassin qu'assombrissent le pin et le bouleau... dirait Victor.

Béru place un treizième pied à l'alexandrin par un pet implacable, brutal comme un coup de grâce.

— T'auras jamais vu ça ! promet-il.

Et de sa main qui ne tient pas sa queue, il me fait signe de partager avec lui le spectacle annoncé avec fracas.

Je vais.

Je vois.

Une cohorte, ou un cortège, voire une petite troupe ou tout ce que tu voudras je m'en fous, s'avance vers l'hôtel, en provenance de la forêt consumée. Une bande de jeunes Noirs, qu'on appelait jadis négrillons, mais l'expression a vieilli et est devenue péjorative, s'avance, encadrant un Blanc et le criblant de quolibets. Le Blanc, je vais essayer. Mais il faut du talent. J'en possède, seulement il fatigue. Je me dépense sans compter, contrairement à certains de mes amis qui comptent sans dépenser (c'est toujours moi qui carme au restaurant).

Le Blanc, je te le dis tout de suite parce que c'est le principal, n'est autre que Pinaud.

Oui, mais quel Pinaud !

Pinaud nu, Pinaud cru, Pinaud cul !

Entièrement à poil. Le nez éclaté. Maigre qu'à côté de lui, un squelette d'amphithéâtre ressemble à un chanoine.

Il a les jambes noircies. Il marche en tenant ses deux mains en conque devant ses humbles génitoires. Ses cheveux ont disparu pour faire place à une sorte de casque rose. Et il clopine, le pauvre cher bougre. Te clopine. Tu dirais qu'il achève son Strasbourg-Paris en ne marchant plus qu'avec ses cors au pied. Pitoyable infiniment.

Mais vivant !

— C'est assez pas banal, hein, Gars ? soupire Bérurier en reprenant le cours de ses émictions. Vraiment, je regrette qu'on n'eusse pas un Kodak ; tout ça, c'est des choses qu'on n'a pas l' droit d' garder pour soye tout seul.

Le Détritus parvient à forcer son allure pour engouffrer le « Grand Hôtel-Palace », échappant enfin à la horde noire qui le moque.

Nous percevons son trotte-menuage dans l'honorable établissement. Je m'empresse de lui garder la porte ouverte, et il se jette à nous, comme d'autres à l'eau. Superbe élan, élan désespéré, farouche, issu de tous les ressorts affaissés de sa malheureuse personne. Ainsi procède le sauteur en hauteur à sa troisième et ultime tentative olympique.

S'abat sur le grabat de Béru. Haletant, lâchant enfin les pendeloques qui lui ont tenu lieu de testicules pendant tant de décades et qui ressemblent à ces deux petites pendeloques accrochées au cou des chèvres.

Comme il est en détresse, le chérubin génaire ! Amoindri encore, lui qui pourtant paraissait à bout de course de ce côté-là. Si détruit avec son pauvre nez en tomate écrasée, sa pauvre tête en os, dont les cheveux ont brûlé comme de la mauvaise broussaille d'automne, ses côtes si saillantes, ses yeux hagards, son fessier navrant, noirci par la fumée.

Il tremble, le bon biquet. Lui qui déjà sucre dans le civil. Un vrai pic pneumatique en action. On souhaiterait le bruitage, à tout prendre, cela rassurerait.

Bérurier est très bien, énergique, sobre (dans ses gestes). Il cueille une bouteille recelant un solide reliquat, la tend prestement à César en disant simplement :

— Allez, vite !

Et vitement, Pinuchet écluse le picrate subsistant.

Sa pomme d'Adam gambade dans le vilain sac en peau grise qui la contient mal.

La bouteille, aussi nue que lui, roule à son côté sur la couverture constellée de taches de : vin, merde, foutre, graisse, sang, rouge à lèvres.

— Ah ! mes chers vous deux, mes chers amis, si vous saviez ce qui m'est arrivé...

— Je crois le savoir, assuré-je.

Il secoue sa tête de neutre.

— Im-pos-sible, et je pèse mes mots.

— Je crois le savoir, pourtant, reprends-je avec force.

— Il te semble, mais ce qui m'est arrivé est inimaginable.

— Ecoute, tendre rebut, écoute bien : ce matin, très tôt, tu as voulu te nettoyer mais, constatant qu'à cause de l'incendie l'hôtel se trouvait privé d'eau, tu es allé à la mer. Là, tu t'es débarrassé de tes épouvantables fringues merdiques et tu t'es baigné. A cet instant, le Canadair qui lutte contre le feu est venu emplir son réservoir. Il ne t'a pas vu et t'a ramassé, ce qui t'a fait éclater le pif.

— Oui, oui, comment tu peux, comment tu pus ?

— Ce n'est pas moi qui pue, c'est toi, inestimable artiste. Donc, te voici dans un réservoir plein d'eau, réussissant l'exploit rarissime de te noyer à douze cents mètres d'altitude. Heureusement, le trajet est de courte durée. Le Canadair a largué sa cargaison sur la brousse. Tu as chu comme une vieille poire blette sur les frondaisons en flammes. Et comme Dieu, dans sa souveraine bonté, épargne parfois les épaves, il a permis que tu ne te cassasses rien, que tu ne brûlasses pas, que tu pusses échapper à l'incendie qui, heureusement périclite et que tu nous revinsses, contusionné, certes, tragique dans ta nudité dernière, mais inestimablement vivant.

Ayant dit, je l'embrasse. Il ne sent plus la merde, mais le brûlé.

— Crois-tu que j'aurai une chance de retrouver mes vêtements ? s'inquiète le parachutiste à eau de mer.

— Tu vas avoir au contraire la chance de ne pas les retrouver, vu que je les ai offerts à un autochtone à qui, chose peu croyable, elles m'ont paru faire plaisir. Mais voici tes papiers, la photo de Mme Pinaud, ton trousseau de clés, ton valeureux briquet à mèche et ta boîte de pilules pour l'estomac.

César opine tristement.

— Dommage, des vêtements de trente ans, auxquels je m'étais habitué. Tiens, mon chapeau... Je l'avais acheté pendant mon voyage de noces à Clermont-Ferrand... Comment vais-je m'habiller ? Je ne peux pas voyager nu.

— Non, tu ne le peux pas, aussi t'offrirai-je des vêtements neufs pour célébrer ta résurrection, ô Lazare ! Il y a bien un magasin de confection à Sassédutrou.

Il admet, pas heureux, déçu.

— Un complet neuf, il manque de plis d'aisance, tu comprends ? Il faut du temps pour qu'il se « fasse ». Pendant les premières années, on se sent un peu guindé.

Puis, tout à trac, sa mine allongée se détend.

— Toujours est-il que ma mésaventure n'aura pas été inutile, déclare le Délabré.

Il raffole parfois des périphrases, mettant une coquetterie à s'exprimer comme on joue au palet, en lançant des mots-plaques qui ne tombent pas fatalement dans la case visée.

— Pourquoi qu'tu dis ça ? réclame Béru. T'as contacté l'goût du parachutisse ?

V'là mon César tout joyce d'avoir éveillé notre curiosité. Il en oublie ses déboires et le manger.

— Pas du tout, mais on fait des rencontres intéressantes dans le ciel.

Il attend qu'on le presse. Pour le faire chier on s'abstient. Alors il fredonne, l'enfoiré. Impertinent avec ça. Le duel muet dure, n'en finit pas. Qu'à la fin finale, le Gros biche le mors aux dents.

— Ecoute, Pénajouir, il soupire, quand on est déguisé en vieille limace, avec une bite au vent pas plus grosse qu'celle à un n'ouistiti, on s'permet pas des suffisances visse-à-visse des gens qui chialaient d' vous croire clamsé pas plus tard qu'un peu avant, merde ! Faut vraiment t'êt' une bougre de vieille frappe merdeuse, un vieux branleur qui s' sent plus aller ; un chieur debout ; un râtelier sans rien n'autour pour v'nir chicaner ses amis dans la peine. Non, mais, Tonio, mords-moi c'vieux chamelier pourri,

qui vient rouler les mécaniques qu'il a jamais eues pour
essayer d' nous impressionner, misère de mes deux belles
grosses ! Tu veux qu' j'te dise, Tonio ? C'est rien d'aut'
qu'une carcasse de poulet crevé, ce type ! Une varice sans
jambe ! Un' brosse à dents sans poils ! Y f'rait dégobiller
les trois blattes qui traversent la chambre, en c' moment,
et y veut frimer ! Alors, là, l'bouquet ! Ce mec, qu'un
quart d'heure au paravent, j'mijotais d'faire une quête à la
maison bourremen pour y érectionner une estèle en
marb'rose dont à sa mémoire d'vieux nœud, et M'sieur s'
ramène, avec un crâne kif un cul d' singe et un blair à n'
jamais plus pouvoir s' moucher, pour s' payer not
tronche. Moi, qu'est-ce voulez, j'intolère. Si tu voudras
pas causer, eh ben va t'chier, la Pine, va vite si y t'rest'
encore de quoi.

Là-dessus, le Véhément sort en claquant la lourde,
après avoir raflé son chapeau melon à la patère de
bambou.

— Hé ! Gros ! l'hélé-je : tu oublies ton pantalon !

Il repique en gréant ses mots (1).

Réintègre cet immense sac à triple issue qui lui tient
lieu de grimpant.

— Bon, balbutie le petit Pinet malingre, tout chenu et
foutrique. Bon, très bien, je vais vous dire ma rencontre
dans le ciel.

— T'as vu l'ange Césarin en train de se faire une
pogne ? ricane Alexandre-Benoît.

— Non, repousse gentiment le décibêlant, non, non...
Mais un avion de tourisme. Il survolait la forêt comme
pour se rendre compte de l'étendue du désastre. Il m'est
passé à moins de cent mètres. Moi, je chutais en chute
libre. J'écartais les bras, il me semblait que je volais...

— Icare ! soupiré-je. Alors, ton zinc qui passait ?

— Cela peut vous paraître aberrant qu'un homme

---

(1) *Nous estimons que San-Antonio a voulu ainsi dire que Béru revenait en*
maugréant.
    Les Académiciens français réunis en conclave (ou en cons caves).

épouvanté, à demi asphyxié, et qui dégringole du ciel ait
le temps de voir une chose, tel qu'un petit avion, ainsi que
ses deux occupants et de reconnaître l'un deux, n'est-ce
pas ? Et cependant c'est la vérité pure. Cela n'a duré
qu'un instant, une fraction de seconde, l'espace d'un
cillement d'œil, mais...

Le Gravos se remporte à nouveau.

— On n'l'changera jamais, ce père la radote, bordel !
Au grand jamais ! Faut qui jacte avant d' dire, quoi !
Qu'on se débatte dans sa montagne d'barbe à papa avant
d'trouver la cerise confite ! Tu m'diras pas, qu'on l'a pas
vacciné av'c une aiguille à tourn'-disque, non ? C't'une
colique, quoi ! Faut admett'. Pas l'méchant homme, mais
un' colique ! Quand y parle, t'as envie d' passer la
serpillière. Y n' cause pas, y flouze ; ça lu sort d'la clape
comme ça lu sort du rectus. Quand j' pense qu' j'aurais
allongé au moins cent pions pour son estèle !

« Tu veux qu' j'vais t'dire pourquoi, Tonio, y réchappe
aux pires coups fourrés, ce déglingué ? C'est parce que
saint Pierre a bien trop les flubes d' le voir radiner là-haut.
Y mettrait l'restant d'l'éternité à lu faire passer son
examen d' passage. Et pâte à scie, et patate oie, j'
l'entends dégoiser d'ici, César, au guch'ton du Paradis. »

Le rescapé rebiffe :

— Puisque tu prends San-Antonio à témoin, je lui ferai
remarquer que pour l'instant, c'est toi qui tiens le
crachoir, poussah ! Enfin, quand on est un énergumène de
naissance, ivre chaque jour de surcroît, il est inutile que
l'on vous prêche le self-contrôle. Ce que je tenais à
t'apprendre, San-Antonio, mon cher, c'est que le passager
du petit avion n'était autre que notre tueur, ce Stromberg.
Ce qui revient à dire que ce n'est pas lui qui se trouvait
dans la voiture accidentée, mais quelqu'un d'autre.

Il se tait, reprend souffle, confiance et vin (il en restait
dans un autre flacon).

Sa révélation me carre une cartouche de dynamite dans
le tempérament.

— Es-tu certain de ce que tu avances, Pinuche ?

Le Grand Chant Bêlant lève sa main droite pour un serment du jeu de paume pas piqué des charançons.

— Lorsque je suis catégorique, il est superflu de mettre en doute mes affirmations, proteste le gentil animal (à poil). J'ai vu, de mes deux yeux vu Stromberg à bord du petit coucou. Cela dit, vous êtes libres de ne pas me croire, auquel cas vous...

Nous le laissons continuer tout seul.

Survolté, j'entraîne Bérurier à l'extérieur.

— Je le sentais, assure le Majestueux. Ce mec est un vicloque de la pire espèce. Il allait pas s' planter comme une crêpe au volant de sa tire, en pleine forêt. Comme il nous a sentis à ses chaussettes, il a compris qu'on allait s'occuper d' sa santé, pour dès lors il a chiqué à l'accident.

En bas, le petit groom a pris ses fonctions, à savoir qu'il s'est assis devant l'entrée sur trois briques superposées destinées à l'achèvement de l'hôtel, lequel a été remis sine die. Chose curieuse, il paraît prostré, lui si joyeux d'ordinaire. Il garde la tête penchée, les avant-bras posés sur ses genoux.

— Qu'est-ce que tu as, l'artiste lyrique ? m'inquiété-je, il y avait trop de sel dans ton tapioca, ce matin ?

Le gamin lève sa frimousse brumeuse.

— C'est à cause de mon grand frère, dit-il, il a disparu, on a peur qu'il ait brûlé dans la forêt. Il allait souvent y faire du cross avec son vélo.

CHAPITRE CHÂTEAUNEUF (1)

La tour de contrôle-buvette de Sassédutrou joue *Roses de Picardie,* valse anglaise, quand on s'y pointe. Temps à autre, dominant le cassettophone, une voix étrange (et de mêlé-cass) venue d'ailleurs annonce quelque chose d'aéronautique qui ne trouble pas le préposé, un grand gaillard blond pâle, très long, vêtu d'un jean bleu, d'une chemise bleu plus foncé, d'une Rolex en acier et d'une pipe Dunhill à tuyau droit. Il écoute la zizique en regardant virevolter un cube de glace dans le verre de whisky auquel il imprime un mouvement rotatif identique à celui du cher Gulf Stream.

— Salut, Major ! lui lance Béru, t'es déjà en train d'bien faire, s'lon d'après ce que j'voye.

Le Major fait miroiter son verre au soleil.

— Early morning scotch, dit-il : pur malt, trente ans d'âge, vous allez voir.

Et tandis qu'il, je.

— Major, un petit zinc a décollé, ce matin, n'est-il pas ?

— Exact.

— S'agit-il d'un avion-taxi ?

— Non, c'est le Piper de Samuel Archipèze, un gros négociant en manioc de Sassédutrou. Il raffole du pilotage

(1) *Dédié au Pape.*

et fait le con au-dessus de la brousse tous les matins, avant d'aller à ses affaires.

Deux verres mordorés allument nos papilles et nos doigts. On se porte un toast muet.

— Ce matin, M. Archipèze n'a pas décollé seul ?

— Exact, un gars était là, arrivé à vélo, qui se disait journaliste et lui a demandé s'il accepterait de le prendre avec lui pour apprécier du ciel l'étendue de l'incendie.

Je déballe le portrait-robot.

— Lui ?

— Juste.

— Il y a combien de temps que le zinc a pris l'air ?

Le Major consulte sa montre.

— Deux petites heures.

— Il est fréquent que M. Archipèze fasse des promenades de cette durée ?

— Non.

— Il vous a contacté depuis son départ ?

— Non.

— Vous voulez bien essayer de prendre contact avec lui ?

Notre ami achève son verre, l'emplit de nouveau, manière de ne pas laisser perdre le glaçon encore bien constitué, et va à son poste émetteur.

Il cigogne le chbrouti de carence, puis dégauchit l'impétrant de coordination bivalvaire à articulation visuelle mince.

— Alpha Bêta appelle Kama Soutra ! il récite d'une voix davantage faite pour ordonner de charger aux Trois Lanciers du Bengale.

Mais il a beau s'escrimer la glotte, manipuler ses boutons et autres cliquets d'induction prosaïque : fume !

— Ça devait arriver un jour, affirme le Major, en renonçant.

— Qu'est-ce qui devait arriver ?

— Qu'il se fraise la gueule dans un baobab, à force de raser les frondaisons pour voir si les perroquets ont des dents.

— Son absence vous inquiète ?

— Ça n'est pas le mot qui convient, répond le Major, j'ai d'autres sujets d'inquiétude dans la vie que la santé de Samuel Archipèze, un idiot qui ne boit que de l'anisette, cette infecte eau dentifrice. Mais, enfin, je pense qu'il va être temps de donner l'alerte.

— Et ça donnera quoi ?

— On nous dépêchera un hélicoptère pour quadriller la région et repérer.

— Le Canadair ne peut s'en charger ?

— Il a d'autres chats à fouetter.

Le Major renouvelle nos godets.

— Il a de l'allure, hein, admire Béru devant l'harmonie de son geste verseur, tu croirais qu'il joue le gazier au gros pif dans Cinzano de Bergerac...

Un silence à peine troublé par ce bruit harmonieux, quasi cristallin, des glaçons lâchant prise contre les parois des verres.

— Ecoutez, Major, j'ai dans l'idée, à propos de ce Piper, qu'il ne s'agit pas d'un accident, mais d'un détournement.

L'Anglais a un rire beau comme une échelle de plâtrier

— Qui songerait à détourner cette cage à poules ?

— Un type ayant absolument besoin de quitter Sassédutrou dans les plus brefs délais.

Il joint ses sourcils blonds par-dessus ses yeux de lavande.

— Le gars du portrait robot ?

— C'est un tueur. Ajouter qu'il est dangereux constituerait un pléonasme. Depuis que nous sommes sur sa trace, il a refroidi cinq ou six personnes, il faudrait que je compte.

— En ce cas, il s'est peut-être bien passé ce que vous dites. Bon, mettons qu'il ait menacé le pilote, il se serait fait conduire où ?

— C'est ce que j'allais vous demander, ce Piper a une autonomie suffisante pour gagner Abidjan ?

Le Rosbif médite (si bien qu'à partir de tout de suite, ils sont deux à m'éditer) et grommelle :

— Just a moment !

Il va quérir un vieux registre déglingué dont il feuillette les dernières pages à rebrousse-poil. Puis il se met à faire des opérations sur des feuillets déjà écrits. Dans la tour de contrôle-buvette, la phonie se met à crachoter par instants et la même voix morne et sans « r » dit des trucs qu'elle doit être seule à comprendre (si tant est qu'une voix puisse comprendre). L'Anglais maugrée, vu qu'il paraît un tantinet moins fortiche en calcul qu'en whisky.

— Que cherchez-vous à établir, Major ? je ne puis m'empêcher de lui demander.

— Je calcule, en fonction des différents pleins de carburant effectués par Archipèze où en était son réservoir au décollage, ce matin. Je ne pense pas qu'il ait eu pour plus d'une heure d'autonomie. Mettons une heure trente...

— Ce qui lui permettrait quoi, comme périple ?

— Je ne crois pas qu'il ait la possibilité de se poser à Abidjan, beaucoup trop juste avec son clou. D'ailleurs, sans plan de vol préalable, ça ferait tout un pataquès.

— Alors où ? Sassandra ?

— Possible... Just a moment !

Il va à sa phonie et bitougnaze le clapoteur médusé de basse extraction corollaire. Il jacte en termes économes.

— O.K., merci (il prononce *meurci*).

— Non, pour Sassandra. Je vais tout de même essayer Abidjan.

Mais ce second appel est aussi infructueux que le premier.

— Alors, quoi, Major ?

— Alors s'il ne s'est pas planté, il a dû se poser sur une plage déserte.

Je fais claquer mes doigts, ce qui est toujours indiqué lorsqu'on tient à marquer que l'on est saisi d'une bonne idée, inchangeable contre un paquet d'Ariel ou que l'on vient de prendre une décision héroïque.

— Il me faut un avion illico, Major, voire un hélicoptère, ou même un hydravion, je ne suis pas sectaire.

Le brave Britinnoche se gratte le favori droit, là que lui pousse un énorme grain de beauté, façon verrue de cérémonie avec poil.

— Vous me demandez la lune !

— Seulement le moyen d'y aller.

— On ne peut que faire venir un avion-taxi d'Abidjan...

— Trop long : j'ai dit illico.

Ça le maussadise, cet homme, mon obstination ronchonne :

— Je veux bien essayer de me flanquer des plumes sur les bras et de vous emmener sur mon dos, mais le plus dur serait le décollage.

— Je savais que les Britanniques avaient de l'humour, riposté-je. Bon Dieu, tout à l'heure, vous m'avez dit que vous étiez sur le point de donner l'alerte, au sujet d'Archipèze, et qu'un hélico se pointerait. D'où viendrait-il, ce fer à repasser ?

— De Sassandra. Mais il appartient à la Gendarmerie, et vous pouvez toujours vous l'arrondir pour que ces braves pandores volants se mettent à votre disposition.

— Qui d'autre possède un avion à Sassédutrou ?

— Le Père Ladorure, un moine canadien qui a fondé un hôpital de brousse.

— Bon, alors il faut le contacter.

— Manque de bol, fait l'Anglais qui s'est familiarisé avec les subtilités de notre beau dialecte hexagonal, le Père Ladorure se trouve présentement à Rome, où il est allé faire la manche pour ses Noirpiots scrofuleux.

— Et qui pilote son zoziau en son absence ?

— Personne.

— Si, déclaré-je : moi !

Le Rosbif me défrime avec un rien d'amusement.

— No question, camarade. Ce zinc est sous ma garde et personne d'autre que le Père n'a le droit d'y toucher.

Bérurier, qui terminait discrètement la boutanche de pur-malt-trente-bougies, croit opportun d'interviendre.

— Une supposition, Major, qu'on t'boucle dans tes gogues, t'srais paré, non ?

— Ce serait différent, convient l'excellent homme, avec le regard brillant comme deux staphylocoques dorés. Mais les closets fermant de l'intérieur, vous pourriez pousser un meuble contre la porte.

— Aye confiance, on connaît la vie, le rassure Sa Majesté ; si même tu croyes qu'un p'tit taquet au bouc semblerait plus véridique, j'sus t'à ta dispose, mon Grand ; y a rien qui fasse plus riche qu'une belle enflure bleue, en dehors d'un général dans un' noce.

— Inutile, ce serait des voies de fait qui aggraveraient le cas, déclare l'Anglais, mais je vous remercie d'y avoir pensé.

— On pense toujours aux copains dans l'embarras, déclare le Magnanime.

Cinq minutes plus tard, nous prenons l'air

Le grand air.

L'itinéraire est fastoche : suffit de suivre la côte (dis voir).

Le coucou du Père Ladorure, un *Dominusvo-Biscum X 69* monomoteur, est une vraie montre à quartz, sauf qu'il fait un peu moins de bruit. J'adopte une altitude réservée d'environ cent quatre panards virgule cinq (car n'oublie pas, lecteur très débile, que dans l'aéronautique on compte en pieds anglo-saxons. Et je referme toutes mes parenthèses, les ayant ouvertes. Tiens, j'en avais oublié une, la voici).

Nous avons franchi Sassandra sans rien apercevoir. Béru, qui scrute à la jumelle, me demande parfois d'opérer une virgule au-dessus de la savane pour observer un éléphant qui trompe, car il y a des réserves dans le coin. Le bestiau, effrayé par le moteur du coucou, fuit à longues enjambées raides, le nez en avant, lès portugaises écartées en ailes de cygne qui s'ébroue. Vite je rechope la côte, tantôt rocheuse, tantôt plate et sableuse. Quand on

arrive sur du terrain bien meuble, je perds de l'altitude
pour y regarder de plus près. Mais je n'aperçois que la
mer bleue, le sable blanc, la terre ocre et des arbres de
torpeur qui, vus d'en haut, semblent être découpés dans
de la tôle. Mais d'avions, point ! Rien et re-rien ! Le tueur
nous a eus. Va falloir rentrer. On efface tout et on
recommence.

J'enrogne. Il est fortiche ce type. Prêt à tout et
l'accomplissant. Ne perd pas de temps, décide en un clin
d'œil... Nous voici déjà en vue d'Abidjan.

Ecœuré, j'amorce un large virage au-dessus des flots
pour rebrousser chemin. Où est-il passé, ce putain
d'avionnet ? Je tente de me mettre à la place de Stromberg. Il a décidé Archipèze à le prendre à son bord. Une
fois en vol, sous la menace d'une arme, il a contraint le
pilote à se plier à ses décisions.

Quelles étaient-elles, comme dirait la Comtesse de Paris
et de sa Banlieue ? Le mener tout bêtement ailleurs, ou
bien dans un lieu précis ? Comment a-t-il fini cette nuit
mouvementée ? Je veux dire, qu'a-t-il maquillé après
l'accident simulé ? Je l'imagine, déboulant dans la forêt à
tombereau ouvert, avisant le frangin du groom en train de
vélocipéder entre les fûts, le hélant, l'estourbissant, le
plaçant au volant, puis lançant le taxi contre l'arbre et y
mettant le feu. Ensuite, il a cramponné le vélo de sa
victime... Pour aller où ? Chez quelqu'un ? En tout cas, il
devait savoir que tous les matins, Samuel Archipèze
commençait sa journée par un petit viron au-dessus des
arbres puisqu'il s'est pointé à point nommé pour embar-
quer avec lui...

— Tu vas où est-ce ? demande Bérurier qui a tendance
à somnoler, ses francforts (et fais reluire) croisées sur ce
qu'en terme médical on est bien obligé d'appeler son
abdomen.

— A l'aventure, réponds-je.

— Alors grouille-toi d'y arriver · ce moulin me file des
bourdonneries d'oreilles.

C'est la tension, prophétisé-je.

Pépère ferme ses délicates paupières bordées de maigre de jambon. Il proémine des carreaux, Alexandre-Benoît, m'est avis que sa glande tyrolienne, comme il dit, roule un peu sur la jante. Je crois le Gros endormi, et pourtant il parle, comme en état second (avec un gabarit tel que le sien, y a de quoi en faire deux).

— Et si c'serait pas sur la Côte qu'il s'serait posé ?

J'attends la suite de l'oracle. Cela vient, sur la lancée :

— Pinuche dit qu'il l'a aperçu pendant son valdingue au d'sus d'la broussaille ; si l'avion survolait la forêt, y tournait la queue à la mer, non ?

Il clapote de sa gueule à tout faire, si redoutable, et déchiqueteuse, et broyeuse, tout ça, qui me fait songer, quand il bouffe, à quelque haut fourneau en activité.

Ajoute avant de piquer sérieusement dans les dormes

— S'lon d'après c'que j'croye, y sont été vers l'intérieur...

Le *Dominusvo Biscum* au révérend Père Ladorure bourdonne comme un gros frelon dans l'azur sans tache. Je passe la main dans la boîte à cartes, dégauchis une brème de la Côte-d'Ivoire. Depuis Sassédutrou, comme ville de l'intérieur de quelque importance, je ne vois guère que Gagnoa ou Daloa, plus au nord, à posséder un terrain d'aviation.

Je mate ma jauge à tisane. On doit être bon pour la croisière.

Cap donc sur Gagnoa.

***

Je balance un coup de coude dans le sac à tripes de l'Estimable.

— Finis de t'agiter, Gros, tu flanques le hoquet au zinc.

Mister la Renflure dessommeille, bâille, éructe, loufe, manière d'établir un courant d'air salutaire dans un organisme surmené par les buveries et mangeries, et déclare :

— Je rêvais...

Il éclate d'un beau rire d'Afrique :

— Y avait plein de gonzesses : des Blanches, des Jaunes, des Noires, complètement à loilpé, accoudées l'long d'un' balustrade. Une flopée : p't'être cent. Toi z'et moi, on partait chacun d'un bout d'la file et on calçait une à une les frangines, sur trois aller-retour départ arrêté. Façon Jeannot Lapin, jusqu'à tant qu'on s'rencontre. Et c'était à çui-là qu'en fourrait l'plus davantage, very passionnant !

Il bâille.

— Tu permets qu'je fesasse coulisser la vitre du coq-pipe, Gars, j'prends des vapes, dans cette godasse.

Il établit la prise d'air souhaitée et, ce agissant, pousse une exclamation dont un misérable signe de ponctuation ne suffirait pas à exprimer l'intensité.

— Merde ! Vise su' ta droite, Gros Loulou, et essaye de voir c'qu'j'voye. Là-bas, près d'ces palmiers.

Je me soulève de mon siège pour pouvoir regarder par sa vitre. Et mon âme s'inonde d'allégresse rayonnante.

Il est laguche, le petit Piper de M. Archipèze. Blanc et bleu, à rutiler malgré l'ombre approximative des palmiers-dattiers. Et je pige qu'il soit là plutôt qu'ailleurs, ceci pour deux raisons : le sol est nu et meuble à cet endroit. Une route importante, puisqu'elle est goudronnée, passe à moins d'un kilomètre de là.

Aussitôt, ton bien-aimé Santantonio amorce sa descente.

**

Lorsque notre moteur s'est tu, nos oreilles mettent un temps à s'en guérir. Et puis le silence ambiant nous nettoie les nerfs auditifs et notre cerveau s'apaise. Je saute de mon siège, mettant en fuite une espèce de reptile à pattes qui s'engouffre dans un trou.

Ici, la chaleur est intolérable. A l'intérieur des terres,

on est plongés dans un four à chaux. Le souffle te manque et tu as l'impression désobligeante que l'oxygène s'enflamme à l'intérieur de tes poumons. Béru s'énucle un peu plus. Il ouvre tout grand sa concasseuse à steaks, tente de trouver de quoi respirer en catimini et balbutie :

— Charogne, ce pastis ! J'le voye gros comm' l'Palais d'Versailles.

— Déjà des mirages ! ricané-je. Attends, on va s'habituer... Pas de mouvements désordonnés, calmos, avançons doucement.

C'est ainsi qu'on va à l'avion du sieur Archipèze.

Ce dernier s'y trouve, foudroyé à son siège des deux balles qui constituent la signature du tueur. Maintenu par sa ceinture, il est penché de guingois vers le siège du passager. C'était un homme corpulent, avec des cheveux gris frisés serré. Ses deux mains ouvertes pendent le long de son corps. Je prends place à côté du mort et, usant des doubles commandes, mets le contact. Le moulin tourne instantanément, rond et musclé.

— Qu'est-ce que tu fous ? hurle Sa Grosseur, posée sur la terre sablonneuse, comme un gros ballot sur un dock.

Négligeant sa question, je procède à différentes vérifications, après quoi je coupe les gaz et quitte l'appareil.

— Il reste encore pas mal de carburant car, par rapport à Sassédutrou, ils ne sont pas allés très loin. En outre tout fonctionne.

— Pourquoi qu'ça t'intéresse, tu t'portes acquéreur ?

— Enflure ! Je m'assure qu'ils ne se sont pas posés ici contraints et forcés, mais délibérément. C'est donc dans cette région que Stromberg a à faire.

Pris en flagrant délit de balourdise, Sa Majesté se met à bouder, ce qui est agréable à mes tympans.

— A présent, il ne nous reste plus que d'aller nous poser à Gagnoa, déclaré-je. Nous n'en sommes qu'à une vingtaine de kilomètres environ. Tout me laisse supposer que c'est là son lieu de destination, sinon Stromberg se serait fait cracher ailleurs. Nous brûlons, ma grosse pomme, nous brûlons !

— Tu veux même dire qu'on carbonise, râloche l'Enflure avec les quelques centimètres cubes d'oxygène qu'il vient de dénicher au marché noir

CHAPITRE MAUDIX (1)

Il fait chaud, soif et faim.

Il fait torpeur.

Il fait chiasserie.

Les formalités ont été brèves avec le garçon noir qui s'occupe de l'aérodrome. Il connaît le zinc du Père Ladorure, lequel est un habitué. Il pousse même l'amabilité jusqu'à nous faire conduire en ville à bord d'une Pijot déglinguée par un grand édenté qui a le tort de garder le sourire.

Nous roulons entre deux gerbes de poussière blanche, mettant en fuite quelques volailles étiques qui se fourvoient sur la chaussée à la recherche de je-me-demande-bien-quoi ; sans le trouver d'ailleurs.

Des maisons minuscules, ravaudées à la va-comme-je-t'repousse, sur les seuils desquels sont accroupis des êtres engourdis par la vie torride d'ici. Végétation parcimonieuse, donc ombre rare... L'on n'entend que les insectes et les enfants en bas âge. C'est l'heure (les heures devrais-je écrire si j'étais moins con, mais on ne se refait pas, on a beau essayer, on retombe) de la sieste, laquelle, comme chez nous l'Ecole Communale, est ici laïque et obligatoire.

Le centre du pays, je vais te dire, il est kif kif celui de Sassédutrou, mais la chaleur y est plus intense ; l'édenté nous gencive un ultime sourire en remerciement du talbin

_____

(1) *Dédié à « M ».*

que je lui ai voté à l'unanimité plus ma voix, puis s'en
repart dans son nuage opaque (d'œuf d').

Tout est inerte, désert, cruel et surchauffé. A ébulli-
tion, tu vois ? Les boutiques sont fermées et tu croirais
débouler dans une cité vidée par une quelconque peste de
grande envergure.

Le Gravos dépose son pétard majuscule sur un amon-
cellement de gros tuyaux destinés à une future canalisa-
tion dans laquelle coulera je ne sais quoi, mais en tout cas
pas de l'eau.

Mon ami soupire :

— Tu veux qu' j'vais t'dire un' chose, Tonio ? J'ai tant
tell'ment soif, qu' j'écluserais jusqu'à d'la flotte si je
pouvais.

Cet aveu consenti, pour la première fois depuis que
nous nous connaissons, me remue le nerf d'apitoyage.

— On va s'occuper de nos gosiers, Gros. Nous ne
sommes pas en plein Sahara, mais dans une ville de
quatre-vingt mille habitants !

Il soupire :

— J' m'demande où qui s'habitent, les habitants : on
n'voye personne.

— Tu as parlé trop vite, assuré-je (sur l'avis), car
j'aperçois quelqu'un.

Il regarde ma désignance et, comme moi, doute de ses
Saint-Saëns. Le quelqu'un annoncé, contrairement à ce
que tu serais en droit de croire sans payer la moindre taxe
à la crédulité, n'est pas un robuste Noir, mais un vieux
Blanc. A l'autre extrémité de l'esplanade désertique,
debout à l'ombre d'un arbre équivoque, aussi feuillu
qu'une arête de hareng saur, cet homme chenu, peint. A
n'y pas croire ! Son chevalet est dressé, son matériel à
barbouille entreposé sur une table pliante. Indifférent à
l'abominable chaleur de ce midi presque équatorial pour
son âge, il peint. De blanc maculé vêtu, l'artiste. Pantalon
de toile, veste enfilée à même la peau et largement ouverte
sur une poitrine garnie de poils blancs ; coiffé d'un
chapeau de paille à larges bords ; des lunettes ovales, à

monture d'acier, perchées au bout de son nez-bec ; barbu
d'être mal rasé, si je puis dire (et ce n'est pas toi qui m'en
empêcheras !) il se consacre à son œuvre, un bout de
langue pointée à travers ses poils.

Notre survenance ne le trouble pas. Il est perdu au fond
de son tableau, comme au fond d'un rêve aux doux
méandres.

Je regarde le chef-d'œuvre.

Mon étonnement va pain-aux-raisins (ou croissant, si tu
aimes les clichés). Car ce n'est pas la place dégoulinante de
soleil qu'il peint, mais un paysage des bords de Seine,
style Chatou ou Bougival, plein d'eau et de son corollaire
la verdure, avec des maisons aux toits d'ardoise, des
fleurs, des péniches, des arbres moirés par le vent... Je ne
suis pas un forcené de la barbouille figurative, crois-je
t'avoir souvent dit au paravent chinois, mais force m'est
de reconnaître la qualité de cette toile.

— Pardon de vous importuner, dis-je, votre peinture
est de qualité, monsieur. Vous êtes français, je gage. Car
ce paysage lui l'est de façon indéniable.

Le vieillard (pas loin de quatre-vingts bougies aux
prochains ananas) s'arrache de son œuvre, lentement,
comme d'un cul après une éjaculation dûment retardée.

Il nous prend conscience et nous gratifie d'un hochage
de tête.

— Bien sûr, bien sûr, français, répond-il.

De sa paluche tenant le pinceau, il dégage deux doigts
qu'il nous tend pour une mini-poignée de main.

— Gauguin-Dessort, se présente-t-il. Dessort est mon
vrai nom, Gauguin mon pseudonyme.

Montrant le chevalet, je ne puis m'enlever de questionner :

— Comment se fait-il que vous supportiez une température avoisinant cinquante degrés pour peindre un
paysage qui n'a rien à voir avec votre environnement ?

Il cligne de l'œil.

— Parce que je suis le maître de l'école antinomique,
cher monsieur. Je pars du principe que l'inspiration est

stimulée par un intense besoin de ce qui vous échappe.
Lorsque j'habitais Maison-Laffitte, je ressentais un appel
si aigu du continent africain que je le peignais depuis ma
roseraie. A force de me le rendre enchanteur, j'ai fini par
m'y fixer. Et à présent, je suis pétri de la nostalgie de
l'ancienne et regrettée Seine-et-Oise. C'est au milieu de
cette fournaise qu'elle me vient avec le plus d'acuité.

— Passionnant. Mais, ici, à qui vendez-vous vos
toiles ?

Le vieux rebiffe.

— Sachez que je ne vends pas, monsieur ! J'accumule.
Tout comme Van Gogh, je n'ai vendu qu'une seule toile
dans ma vie, mais les circonstances firent que je décidai de
ne jamais réitérer une telle infamie, ma famille m'ayant
laissé de quoi vivre et mourir en me passant des autres.

Une colère rétrospective le fait trembler. A son âge, un
rien vous fait, déjà beau qu'il ne sucre point naturellement.

Intéressé comme toujours par les êtres pittoresques qui
échappent à la communauté mortelle, je le presse de nous
révéler, là, en pleine chaleur, alors que j'ai un tueur à
fouetter, les circonstances entourant la fameuse vente.
Mais, sachant que la plupart d'entre toi est friand
uniquement d'action et déteste mes digressions vouaseu-
ses, je te sépare la partie intéressée, de manière que tu
sautes à pieds joints le passage en question, lequel soit
confié entre nous, est rudement scatologique une fois de
plus, car, à l'image de l'humanité, mon œuvre est bâtie
sur la merde, ce qui m'évite d'avoir à me présenter aux
académies et de fréquenter les salons où l'on se fait chier
et où le caviar n'est même pas du vrai caviar.

Bon, je commence... Saute, mon pote ! Saute !

. . . .

M. Gauguin-Dessort nous explique comme quoi, à ses
débuts de barbouilleur, il était plein d'illuses, cubiste sur
les bords, hardi, insolent, tout bien comme on doit être
quand on démarre dans ce noble art de la peinture. Il
réussit à participer à une exposition de jeunes loups dans

une galerie parisienne. Par chance, la critique qui éreinta l'Exposition fit exception pour lui, signalant ses qualités de ceci-cela, nanananère, charabia habituel, le plus abscons possible, toujours en matière picturale, tu remarqueras. Certains auteurs daubent sur les critiques littéraires ; eh ben, mon vieux, que diraient-ils s'ils avaient affaire à des critiques de peinture ? Les critiques littéraires, eux, au moins, écrivent intelligiblement, alors que les autres se croient obligés de faire des vers libres pour causer d'un tableau, ces manches ; toujours toujours. Essaie de lire une préface de catalogue raisonné, ou bien le texte d'une invitation à un vernissage et tu comprendras ta douleur. Tout cela, je l'ai déjà dit ailleurs, mais je le répéterai car il est des clous sur la tête desquels il ne faut pas avoir peur de taper.

Donc, à cette expo, Gauguin-Dessort est le seul à tirer son épingle du jeu, comme il est dit dans les écritures des lavedus. Pour le coup : jalousie aiguë des copains qui se sont fait impitoyablement étendre. L'un d'eux, le plus aigri, se livre à une vengeance mesquine : ayant lu l'article, il se fout le doigt dans le cul en revenant à la galerie, et dépose une brune virgule sur l'œuvre de notre nouvel aminche. Ses potes, séduits par la qualité de cette réaction, en font autant, et voilà que la toile exposée par Gauguin-Dessort se met à ressembler à un mur de chiottes publiques.

Gauguin-Dessort se pointe. Il est effondré. Sans voix de trop d'indignation, les bras pendants comme toutes les bites de l'Institut. A ce moment, un visiteur étranger, acheteur éminent pour le compte d'un musée de Berlin, tombe en arrêt (il était pédé) devant l'œuvre emmerdée. Il se met à égosiller que c'est « schön » (et ça ne sait pas), que c'est ultra « wunderlich », « kolossal » et autres, bref, il achète sans discuter le prix et court emporter le chef-d'œuvre dans les Allemagnes de merde. Hilarité générale, emboîtage des petits copains, Gauguin-Dessort s'enfuit, envoie les sous de la vente pour le petit Noël des vidangeurs parisiens et jure qu'on ne l'y prendra plus et que, désormais il sera figuratif et peindra pour lui seul.

— Dont acte.

Emouvant, n'est-ce pas ?

Allez, viens, on va rejoindre les autres truffes.

. . . .

Le Gravos qui, comme tu le sais, fait du débilium très mince, essuie d'une seule coudée une livre et demie de sueur suifeuse et demande :

— Dites-moi, M'sieur Léonard de Vin Cuit, vous savez-t-il où l'on pourrait faire un repas valab' dans ce charmant port de plaisance, j'ai la menteuse comme une pierre ponce et l'estom' qu'applaudit des deux mains.

Gauguin-Dessort essuie ses mains à un chiffon emplâtré de peinture.

— Je vais vous conduire chez moi, nous trouverons de quoi vous sustenter.

Bérurier a un petit ziguilili gêné.

— Ecoutez, l'artiss, j'voudrais pas qu'ait maldonne ; moi, c'est pas de m'sustenter qui m'intéresse, mais d'bouffer. P't'êt' qu'un bon restaurant s'rait mieux dans la note, non ?

— Venez, venez ! tranche le vieillard, des compatriotes affamés, c'est sacré.

Il se met en route, marchant à pas vifs sous le soleil de plomb, sans en être incommodé.

— Vous abandonnez votre toile et votre matériel ? m'étonné-je.

— Ils ne craignent rien, ici on me respecte ; je suis une espèce de vieux sorcier.

Quelques centaines de mètres à parcourir, et ma stupeur s'épanouit comme la corolle d'un parachute dont les suspentes ont bien fonctionné.

L'existence est pleine d'imprévus pour qui remue. Tu te livres à des estimations, et la réalité te baise en canard (c'est une de ses barbaries).

Ainsi, je m'attends à débouler dans une cahute infecte, genre antre (nom masculin) d'artiste vieux et armagnac.

Zob, mon frère ! Gauguin-Dessort crèche dans la plus belle demeure de Gagnoa, au milieu d'un jardin de rêve, exotique certes, mais par rapport à quoi, Ducon ?

Demeure Ile-de-France : toit d'ardoise, murs blancs avec du frometon autour des ouvertures, portes-fenêtres, volets gris. Si le jardin est exotique par rapport à la France, la Maison l'est par rapport à l'Afrique.

— Venez, venez ! presse le Dabe en escaladant le perron de meulière.

Et on pénètre dans une vaste pièce où ronronne un appareil à air conditionné. Elle est pleine de canapés, de meubles dix-huitième, il y a même un piano à arbre droit, noir, avec la photo de Beethoven dessus. Les murs sont garnis avec les toiles du maître. Au fond, une cheminée dans laquelle brûle un vrai feu de bûches dont la chaleur est neutralisée par un pare-feu frigorifique. The luxe !

Mais ce n'est pas tout.

Une sixaine de filles stationnent dans ce fastueux living. Trois Blanches, trois Noires. Les Blanches comprennent : une blonde, une brune, une rousse. Les Noires : une ébénite, une capucino, une mulâtreuse. Ces dames sont ravissantes et sobrement vêtues d'une ceinture d'or à laquelle est accrochée une plaque portant leur nom.

— Mon harem, présente sobrement le peintre, installez-vous.

Il empare une sonnette d'argent à manche de prunier confit et l'agite, drelin drelin, jusqu'à tant qu'arrive un énorme Turc enturbanné, chamarré, obèse, eunuque, ça, tu peux y compter, muet comme dans les films qui racontent une histoire d'amour dans l'Arabie d'avant le pétrole, à l'époque où les émirs se déplaçaient pas en jet privé mais en tapis volants, qu'ensuite, leurs esclaves allaient·vendre aux terrasses des cafés.

Gauguin-Dessort se tourne vers nous.

— Je vous propose un foie gras frais de la *Barrière Poquelin,* arrosé d'un château d'Yquem ; suivi d'une potée auvergnate qu'accompagnera un cahors servi frais. Fromage, tarte à l'ananas. Si vous jugez cette collation insuffisante, je peux dire à Ali d'intercaler un ris de veau Clamart entre le foie gras et la potée ?

Bérurier, bien qu'il soit déshydraté à outrance, trouve le moyen de laisser dégouler une stalactite à l'énoncé du festin.

— C'est trop d'bonheur, monseigneur, balbutie-t-il, oui, oui, d'accord sur tout, et d'accord aussi pour l'inclusion du ris de veau, si ça ne vous inconvègne pas.

Gauguin-Dessort nous sourit.

— Vous me pardonnerez, mais je vais devoir retourner à mon tableau. Quand l'inspiration est là, c'est comme pour la bandaison : il ne faut pas la faire languir. Oh ! à propos de bandaison, il est bien entendu qu'après votre repas vous avez toute latitude pour vous amuser avec ces demoiselles. Vous serez tranquilles : aucune ne parle le français. J'y ai veillé. Pas même l'anglais. Cela facilite les transports. Combien de filles sublimes m'ont saccagé les ardeurs d'un mot inopportun ! Mais le pire, oh ! oui, le pire, c'est « après ». Ce besoin de bavardage qui les prend, Seigneur ! Elles veulent justifier, expliquer, s'assurer de vous. Je fuyais, ou bien les chassais. Mais il est difficile de foutre à la porte une donzelle nue et surtout décoiffée par l'amour. Enfin, maintenant tout est bien. Sur ce, laissez-moi jouer les Ruy Blas en vous souhaitant bon appétit, messieurs.

Et l'excellent homme se hâte vers le chef-d'œuvre abandonné sur la place.

Béru le regarde disparaître, ému :

— Tu veux qu' j'vais t'dire, Gars ? il susurre, tu n'trouves plus de bonshommes commaks, d'nos jours. L'savoir-viv', c'est un truc des aut' fois. De nos jours d'aujord'hui, on n'sait même plus mourir.

*
* *

Et puis bon, je ne vais pas te raconter le repas, à toi, bouffe-merde comme je te sais. Non plus que les papouilles, mignardises et lutineries que nous prodiguons à ces affables damoiselles en attendant la jaffe, renon plus l'à quel point on se fait rigoler le zigomard folâtre, après le dessert, Bérurier et moi. Un enchantement ! Romain, quoi. On se prend pour les cousins germains de Caligula. D'autant que le cuisinier mérite au moins deux étoiles, comme le général de Gaulle ; et que les filles sont, prétend Béru, d'une expertise rare dans l'art de t'extrapoler le sensoriel en te faisant voler la bistougnette en éclats, les chères salopes. Elles raffolent se laisser grumeler le joint de culasse, vu que c'est la spécialité du père Gauguin-Dessort et qu'elles se pratiquent le lapsus, entre elles, pour meubler les temps morts ; mais où l'on obtient auprès d'elles un succès franc et massif, c'est à la baguette magique. Tu les verrais se bousculer au portillon pour toucher leur pension ! Fatal : la tringle, c'est pas le domaine au peintre, compte tenu de ses quatre-vingts balais, à cézigue pâteux. Il a beau se faire une santé dans la térébenthine (je dois toujours compulser le dico pour savoir où l'on met l' « h ») il ne caracole plus de l'aubergine à moustaches, l'ancêtre, y a une limite à tout.

Bref, je ne peux pas m'attarder sur la fiesta. Je suis un auteur plein de retenue (surtout quand j'allais au lycée) et qui ne se complaît (veston) pas dans les descriptions au jus de burne. Tout ce que je peux te dire, c'est que la séance mérite un détour ; surtout du fait de la Blanche rousse qui prend de la bagouze pis que toi et Chazot la friponne, et te fait une séance d'écrou cannelé à t'en tréfiler le bigoudi à tête casquée. Sans parler aussi de la brune qui devait être contorsionniste avant de s'engager dans l'Armée du Salubre ; ni d'une des noiraudes, charogne, elle travaille de tout à la fois. Femme orchestre (de chambre). Cette puissance, mamma mia ! Tiens, rien que de t'en causer, mords un pneu l'effet que ça me fait ! Mais n'insistons pas.

Toujours sobre. Tout dans la dignité, l'Antonio. Jamais un mot plus haut que l'autre.

Or, donc, lorsque nous nous sommes rempli l'estomac et vidé les testicules, il me revient en mémoire que nous sommes ici, non pas par la volonté du peuple, pas plus que par la force des baïonnettes, mais bien pour tenter de mettre la main (en anglais : the hand) sur l'épouvantable Stromberg, homme sans foi ni loi, sans feu ni lieu, dont la conscience doit ressembler à un camion de vidange accidenté.

Le soleil n'étant plus au zénith, mais un peu plus à gauche, au-dessus du bazar, je décide de réaffronter ses rigueurs. Le Gros rechigne un peu, fait le plein de champagne, manière de se préparer une fraîcheur du tube digestif, et gobe la Valère ! (comme le dit volontiers le cher Jean Desailly). Quelques bibises à la ronde, une ultime pelotée de dargifs, juste pour les choses de l'amitié, et en route bonne troupe !

L'animation est revenue sur la ville. Y a de la bagnole, du monde, des cris, un chatoiement (de Lady Chatterley, à moins que tu ne préfères : « Crime et chatoiement », avec ma pomme il en pleut comme vache qui épice) de couleurs où dominent les bleus, les beaux bleus intenses d'Afrique.

Le Chari varie. L'air zonzonne comme une ligne électrique. Mon complet assouvissement organique me plonge dans un état d'euphorie sacerdotale ravissant. Je me sens kif Mathurin Popeye après sa goulée de spinach. Vroum ! vrrroum ! Je tourne rond, plein gaz ! Sus ! Sus ! Pétarade du mental. L'énergie me jaillit des pores comme, après vigoureux brossage, le sang des gencives. Je vais tout fracasser, moi, tu sais ! Que le tueur ne fera pas un pli, moi, tu sais ! Et que je ne crains personne, moi, tu sais !

— Marche pas si vite, époumonne Béru, t'as becqueté du lion ! Et d'abord, où qu'tu vas ?

— Je ne sais pas, mais je vais 'ientôt y arriver, promets-je. Bon, faut que je te pose une question : comment t'y prendrais-tu, toi, pour renouer avec la piste du tueur ? Tu visiterais les hôtels de la localité ? Tu arrêterais les passants en montrant le portrait robot ? Raconte pour voir, ça m'intéresse. Non ? T'es sec comme tes claouis ? Alors je vais essayer de faire sans toi, mon pote, comme d'habitude.

D'abord, les hôtels, il n'y faut pas songer quand on vient de se faire déposer dans un zinc dont on a bousillé le pilote. Stromberg est de plus en plus aux abois (il jappe déjà !). Il s'est donc rendu à un endroit précis où il était assuré de trouver asile et sûreté. Ce lieu, privilégié pour lui, c'est fatalement un coinceteau particulier. Il convient par conséquent de déterminer les lieux particuliers de Gagnoa.

Sans coup ni férir, je vais rejoindre le papa Gauguin-Dessort, toujours debout et concentré devant son cheva-let, peignant son coin d'Ile-de-France avec dévotion, en transes ou presque, ne s'interrompant que pour contem-pler la place bigarrée afin de vérifier que ce qu'il brosse correspond parfaitement à la réalité environnante.

Le maître de l'Ecole antinomiste s'extrait de son état second pour nous sourire. Nous le remercions chaleureu-sement (ici ce n'est pas difficile) de son royal accueil. Puis l'ayant derechef (de gare) complimenté à propos de son rechef-d'œuvre, je lui expose le mobile de notre venue dans cette coquette cité.

Il m'écoute, et son visage se modifie. S'altère (ce qui est logique avec une pareille chaleur). Il rembrunit. Il amaigrit sous nos yeux. Son souffle devient rauque (comme Feller). Un vent de haine lui sourd (mais il va mettre un Sonotone) des naseaux.

Quant à son regard, il lance des éclairs qui ne sont ni au café, ni au chocolat.

— Flics ! fait-il, d'une voix agonisante de trop tout. Flics ! J'ai nourri des flics ! O, Seigneur, pourquoi m'as-tu laissé dériver jusque-là ? Ils ont mangé dans ma vaisselle ! Je vais devoir la briser menu, la réduire en poudre ! Ils ont bu mon vin venu de France ! Ils ont baisé les femelles de mon harem ! Comment réparer sur ces donzelles pareille souillure ? Les baigner dans de l'alcool à quatre-vingt-dix ? Passer leurs chattes insanes au lance-flammes ? Non, non ! Les remplacer, oui. Les flanquer dans une bétaillère

et les faire conduire très loin d'ici, aux confins du désert,
pour qu'elles s'y dessèchent comme des gazelles mortes !
Des flics ! Et je leur ai souri, parlé, serré la main ! Ma
main qui peint, misère ! Ma main qui peint ! Pourra-t-elle
reprendre le pinceau, désormais et interpréter mon génie ?
Que faire ? Sera-t-il possible de lui redonner un jour sa
dignité de main ? Lourdes ? La tremper dans l'eau
miraculante ? Peut-être ! Oui, pourquoi pas : Lourdes !
Qu'elle fasse la charité aussi, et que les pauvres la baisent.
La rédemption de ma main par la gratitude d'autrui. Et ils
restent là, ces deux purulences à contempler mon tableau,
le rendant nul et non avenu. Ah ! charognards !

Il se met à lacérer sa toile avec le couteau servant au
mélange de ses couleurs.

— Fuyez ! Fuyez ! nous crie-t-il. Fuyez avant que je ne
vous en fasse autant, abominances !

Nous nous mettons à reculer, pour tenter, coûte que
coûte, de lui épargner l'infarctus. Ses invectives rameu-
tent la populace. Ça grouille d'aimables Noirs hilares qui
nous regardent en se poilant. Un Blanc souille de sa
grisaille hépatique cette foultitude d'ébène. Je m'adresse à
lui : c'est un grand gros, avec une casquette de toile bleue,
de la barbe en instance, un regard débordant de scotch et
un bide couveur de cirrhose.

— Dites, il est siphonné, ce vieux, ou quoi ?

Il hausse les épaules :

— Le père Gauguin ? Non, pas particulièrement, mais
il a ses crises parfois quand une gueule ne lui revient pas.
C'est un ancien bagnard. Jadis il a été accusé d'avoir
assassiné ses parents. Il a tiré plusieurs années à Cayenne,
jusqu'au jour où son avocat a découvert un élément
nouveau qui a permis la révision du procès, puis sa
réhabilitation...

J'acquiesce. Tout s'explique. Ça et le reste. Les hommes ont toujours des motivations qui justifient leur
comportement.

— Il y a un bon hôtel, dans le secteur ? demandé-je à
mon terlocuteur.

— Il y a le Sphinx, au bout de la place.

Il nous détranche sans complaisance, le gros mec, comme s'il partageait d'instinct l'aversion du vieux peintre pour nos personnes.

La tentation me vient de le questionner pour en apprendre un bout sur le pays et ces fameux lieux « particuliers » que je subodore ; mais il se montre si hermétique, brusquement, et si proche de la franche hostilité que je renonce. Il doit bien y avoir d'autres personnes à Gagnoa susceptibles d'éclairer ma lanterne, non ?

Alors, viens ici qu'on se narre : nous nous esbignons à pas de laboureurs jusqu'à l'hôtel Sphinx ; mon idée et d'y retenir deux piaules manière de nous assurer un P.C., puis de partir en chasse.

Et juste comme nous atteignons ce coquet établissement, une Pigeot 504, en bon état, s'arrête devant l'hôtel. Elle est pilotée par un Blanc plus que blanc, puisqu'il est blond et rose. Chose pas solite dans ce pays, l'homme est en complet de ville mal coupé, dans les tons passe-partout. En plus, ce nœud porte un bitos de feutre gris à ruban noir. Mais là commence seulement ma surprise (en anglais *my surprise*), car, à peine la chignole vient-elle de stopper, qu'un couple sort de l'hôtel.

Un couple de Blancs.

Elle, c'est Arabelle Stone, la gonzesse du train de Londres qui s'est fait alpaguer par des Soviets à Victoria Station. Lui, c'est un Russe, ou en tout cas un Slave (à grande eau), pas besoin d'être notaire, ni même grand clerc, pour piger ça au premier coup d'œil. Sa physionomie est déjà un début de passeport. Les yeux, la mâchoire, la coupe de cheveux, tout chez ce quidam est révélateur.

Le couple grimpe dans la 504, laquelle démarre sans plus attendre.

Le Mastar murmure :

— Est-qu't'as vu c'qu' j'ai vu, Mec ?

— Il me semble, le rassuré-je.

On demeure comme deux admirables nœuds, à regarder la fumaga bleutée de l'échappement. La guinde vire sur la droite (par rapport au détroit de Béring, mais disons sur la gauche, si on se réfère au cap Horn) et disparaît.

Alors là, pour une stupeur stupéfiante... Si je m'attendais... Etc., etc. (Tu ajoutes tes propres exclamations car je sais que chacun a ses habitudes).

— Ça veut dire quoi-ce ? me demande Bérurier.

Je branle le chef, comme la première cuisinière venue.

— Que nous sommes sur la bonne piste, Gros. Ce pays est au cœur d'un micmac pas charançonné.

***

Le Sphinx, contrairement au « Grand Hôtel-Palace » de Sassédutrou, est un établissement agréable, construit en carré, avec un vaste patio en son milieu. Pas d'étages. C'est le style motel. Chaque chambre donne sur le patio où glouglloute un bassin et où poussent gaillardement des plantes qui, à Paris, valent un prix fou chez Lachaume, alors qu'ici tu les as à l'œil, mais bien entendeur, faut payer le voyage.

L'hôtel est tenu, soutenu, entretenu par une grosse dame qui ressemble à l'ex-reine Juliéna des Pays - (qui volent) Bas, celle qui a refilé son vélo de cérémonie à sa grande fifille. Dodue, avenante, l'œil pardonneur, le sourire pour cartes postales, elle est accompagnée de son Bernard de Lippe, en l'occurrence un petit bonhomme du genre crevard à nez poreux qui ne touche pas des pots-de-vin mais les boit.

Cette exquise personne nous reçoit avec une infinie courtoisie. On lui raconte un chouette vanne pour expliquer notre absence de bagages, comme quoi nous avons été obligés de nous poser ici alors que nous nous rendions à Cakaocho, biscotte une avarie survenue à notre zavion, coupable d'avoir flanché de la durite intercostale double, et qu'il nous va faudre (comme dit Bérurier) attendre la

pièce de rechange commandée au grand bazar d'Abidjan ;
tout bien.

Elle s'en ravit, nous décerne les turnes 7 et 8, nous y
escorte, célébrant chemin faisant les charmes de son hôtel.
Moi, tu me connais ? Secco, je la branche sur ses clilles du
moment. Non, elle n'a pas grand trèpe : quelques exportateurs venus de la capitale, et puis deux Russes et une
Française arrivés du matin : des diplomates en poste qui
se donnent un peu d'air. Le couple occupe la chambre 9
qui est à deux lits, et leur ami, la 10. Manière de tout
vérifier, je m'informe que si des fois elle n'aurait pas
hébergé, du temps qu'elle y était, notre brave tueur, lui
faisant de l'homme une description impec, car le portrait
robot annonce par trop notre couleur et il est préférable de
s'abstenir. Mais non elle n'a personne vu, dit-elle.

Les deux piaules sont contiguës mais pas communican-
tes. Sobres et de bon ton. Pas grandes, fonctionnelles,
proprettes. L'une dans les tons paille, l'autre dans les bleu
branlette.

J'en fais compliment à la rombiasse. Elle rosit.

— Apportez-nous donc une bouteille de champagne,
qu'on trinque, proposé-je.

Elle trémousse, l'œil tout de suite allumé, avec du
flottement dans le Zuyderzee. Les dames sur le retour,
crois-moi, une œillade de velours les détrempe.

La voilà qui se radine, après s'être filé un coup de
peigne en trombe et passé un peu de rouge dégueulis sur
les lèvres. Sa poitrine batave se dresse comme le double
canon d'une mitrailleuse anti-avions.

Je lui propose la chaise unique, me contentant du lit.
Sur mes instances, le Gravos va perquisitionner au 10 et
au 9 pendant que je lutinerai la taulière.

Il serait mieux que les rôles fussent inversés, mais c'est
moi qui ai le ticket excitateur, et donc le choix est fait par
la dame.

Tout en l'abreuvant d'un champagne servi à la même
température que l'eau de ton bain, je l'ensorcelle de l'œil
et de l'inflexion. Et depuis combien de temps demeure-t-

elle en Côte-d'Ivoire ? Vingt ans déjà ! A la suite de quoi ?
Elle était dans un bordel français d'Abidjan ! Elle suçait la
coloniale ! Chère vaillante ! Ensuite, le bas de soie ayant
rempli le bas de laine, elle est venue ici avec Jérôme pour
y installer un hôtel ? La belle idée ! Jérôme est un con ?
Oui, cela se pressent. Il ne baise plus ? On l'admet sans
mal. Alcoolique ? Bien sûr : l'Afrique, pour les Européens, hein ?... Elle s'est attachée à ce fascinant pays ?
Comme on la comprend !

Je place ma bottine secrète.

A-t-elle des relations à Gagnoa ? Pas beaucoup. Un
pasteur hollandais et sa femme, quelques fonctionnaires
français, un restaurateur italien, un boutiquier chinois,
deux exportateurs arméniens, un banquier juif... Mais,
les gens ne l'intéressent pas. Elle, c'est l'ambiance.

Ici, la vie finit par être envoûtante. Martha va parfois
chasser le singe dans la forêt. Ou bien cueillir des noix de
coco dans son jardin à la campagne.

Elle trémousse son gros cul immatriculé NL, la mère.
Joyce en plein de l'intérêt que je lui porte. Tant qu'elle
m'en devient émouvante, ma Néerlandoche, y a pas de sot
coït, les gars. Chacun a droit au panard, en tous lieux, à
tout âge.

Now, c'est pas le tout ; faut aller de l'avant. Et qu'à
force de toujours y aller, on finit par passer, je sens bien.
On se trouve à l'autre extrémité, là qu'aucun garde-fou ne
peut plus stopper ton élan vers l'abîme. Oui, oui, je sens
bien. Je vois bien. Je sais bien. Tout pigé, tout compris,
tout admis. Quand on y songe, y avait qu'à pas, quoi !
Mais y a eu ! Merde ! Et quand t'as pris totalement
conscience, mon zami, tu arrives à te demander si ça vaut
vraiment le coup de finir. Tout est fini en commençant.
Rien n'existe qu'un moment d'illuse. La Terre aussi est
en train de finir, tu le sais bien. Donc, pour ce qui est de
l'immortalité tu repasseras. Cette oiseuserie à l'œil, pour
causer, apprendre à mieux se taire ; voilà, maintenant je la
ferme hermétique. Je te raconte une histoire. Que branler
d'autre ?

Je te prétendais donc qu'on doit aller de l'avant, surtout quand on marne en action policière de mes couilles. Si tu laisses retomber le soufflé, ils te balancent le polar à la gueule, les lecteurs, t'envoient apprendre ton dur métier d'embrouilleur qui débrouille.

Alors, pour dire de la conditionner bien à bloc, je lui consens une petite main tombée. Le lézard fantasque : devine le nom de la bêbête qui monte qui monte.

Elle batave de la cramouille, dame Martha. Revient à ses antiques émois en toc d'avant la coloniale, quand un superbe mac de Pigalle la chibrait d'importance.

En somme, c'est quoi, comme patelin, Gagnoa ? Il y a des gens particuliers, ici, en dehors des indigènes et de ceux qui viennent y gagner leur buffle ? Un vieux peintre richissime, ancien bagnard réhabilité, légèrement focard sur les pourtours ? Et, en dehors de ce kroum ? Nobody ? Y a pas de maison coloniale à l'écart ? De palais résiden-tiel ? Non ? Prenons ses clients, dès lors : les Russes par exemple, ils ont radiné comment ? En avion ? Sont allés louer une voiture pour visiter la région ? Y a quoi à voir, somme toute ? Ici, c'est un bout de désert, mais la forêt est proche. On peut y chasser ? Oui, mais faut prendre un permis ; elle en délivre, mistress Van d'Expute. Non, non, les Russes ne lui en ont pas demandé.

En somme, je n'ai rien appris de positif. La daronne croit que je vais lui faire sa joie de vivre et souffle court. De la sueur préalable lui dégouline sur les ailes du nez et son regard chavire. Franchement, je ne m'en sens pas pour l'honorer (non : je n'ajouterai pas de Balzac, n'y compte pas !). Dis, je viens d'accomplir une bath presta-tion avec les gonzesses au père Gauguin-Dessort. Une brave femme comme Martha, c'est seulement possible les jours de jeûne, après un sévère Ramadan ; ou bien quand t'en as un coup dans les carreaux qui te porte aux euphories.

Qu'heureusement, je suis tiré d'une situasse embarras-sante par Bérurier, lequel entre sans s'annoncer, la trogne lumineuse, la bouche comme une andouillette en train de mijoter au bord du fourneau.

— Navré d'vous déranger, les amoureux, mais faut qu'j'vais t'causer, Gars.

Le charme à la vioque est rompu : clac ! Je retire ma main de ses territoires en friche, l'aide à se mettre debout. Elle part, titubante. D'une œillade, je lui promets l'avenir. Pendant ce temps de mondanité, Béru écluse la boutanche de rouille.

— Tu as déniché quelque chose de valable ? l'interrogé-je, lorsque nous sommes seulâbres.

— Pas mal et toi ? il riposte ; joyce comme un serin dont on vient d'ouvrir la cage.

Le rot complémentaire qu'il me délivre en bonne et due forme donnerait à penser que les lions attaquent.

Il en chasse les vapeurs subséquentes d'une main gracieusement agitée.

— Drôlement outillés, les frangins.

— C'est-à-dire ?

— Un attirail d'photographe vach'ment chiadé. J't' débute par la boîte en métal qui sert à l'transbahuter. Elle a un doub' fond, c't'-à-dire qu'y faut qu't'ôte l'garnissage d'velours rouge, dont y s'déboîte, pour trouver, par en dessous, un mignon poste émettreur. D'la mignarisation admirab', Mec. L'vrai véritab' bijou. A tout hasard, j'ai engourdi la pièce maîtresse, qu'est le fignoleur d'fréquence, qu' j'ai l'honneur d'te présenter ci-joint.

Il tire de sa vague une petite pièce chromée, cylindrique.

— Ils ont l'bonjour s'ils voudraient émettrer, maint'nant.

— Bravo. Ensuite ?

— Ensute, mon gamin, j'ai découvert qu'le trépied télescopé qui sert à faire d'la pose est en réalité une arme, lorsqu'on l'assemble différemment. Question d'emboît'ment. L'socle contient des bastos grosses comme des noyaux d'dattes, qu'en voicille une pour ton information personnelle d'à toute faim utile.

Je cueille l'espèce de projectile et le laisse rouler au creux de ma main.

— C' doit z'êt' une balle très partie-culière, hmmm ?

— En effet. Seule la pointe est en acier fouinazé pour permettre la pénétration, le reste doit contenir une substance nocive, voire explosive, que sais-je.

— Toujours est-elle qu'y n'sont pas près d's'en servir, ricane en souriant aigre le monstre des abysses. Magine-toi qu'j'ai enfoncé discrètement dans l'canon la barrette d'réglage d'mes bretelles qui just'ment v'nait de flancher.

Je donne une caresse pour chien sans puces au Mastar.

— Voilà de la belle besogne, mon ami.

— Quel plan tu mijotes, Grand Chef ? demande le Radieux qui remue la queue de plaisir.

— Attendre et voir, réponds-je. Je vais essayer de louer une bagnole quelque part pendant que toi tu perceras un trou discret dans la cloison de ta chambre, non entre ta piaule et la mienne, mais entre la tienne et celle qu'occupe le « couple ». Il serait intéressant d'écouter ce qu'ils se disent.

— Et s'ils causent en russe ? objecte Bérurier.

— Alors j'apprendrai le russe.

CHAPITRE BONZE (1)

Ils reviennent très vite, les trois. Peu après que le Gros m'ait rendu compte de sa mission. Juste que j'allais sortir chercher une tire et les voilà qui se radinent, silencieux, claquant des pas sur les dalles du patio. Je réprime mon mouvement et rengaine dans la chambre.

Ils se pointent au 9. Je fais signe alors à mon pote de nous rendre au 8. Les portugaises plaquées à la cloison, nous cherchons à esgourder ce qui se dit, mais on perçoit ballepeau. Des bruits, si. Et de la musique, car il existe un poste de radio dans chaque chambre. Ils l'ont branché en arrivant.

On reste un bon quart de plombe, ainsi, à essayer de percevoir autre chose, mais c'est en vain. Le Mammouth somnole, comme chaque fois qu'il est immobile. Que cesse le mouvement et il s'enclume, Alexandre-Benoît.

Je le regarde dodeliner et voici qu'une porte claque, l'arrachant au coma. Je cours entrouvrir l'huis (comme disait ce pauvre Mariano). J'asperge les deux Popofs en partance. La femme est restée. Ils trimbalent le matériel auquel Béru a fait allusion. Bon vent, les potes !

Je n'hésite pas longtemps sur la conduite à tenir. Quand un ronflement de bagnole s'est éloigné, je me présente au 10, replie mon merveilleux index droit, qui sait admirablement presser les détentes d'armes à feu et les clitoris, et

(1) *Dédié aux petites bonzesses que j'ai connues en Asie.*

je toque toque à la porte bien qu'elle soit munie de l'écriteau « Do not disturb ».

Nobody ne répond.

J'insiste plus fortement.

Toujours rien.

A toi Cézame !

Cric crac, le cric me croque. J'open.

Arabella Stone est allongée sur le lit, tout habillée, les bras allongés le long du corps, la tête maintenue presque à l'équerre par deux oreillers superposés. Elle respire bizarrement, en produisant un bruit de râle. Je la trouve salement pâlotte. Ses lèvres sont d'un blanc qui fout les jetons. Je lui soulève une paupière, son œil reste inexpressif, dilaté. Retroussant les manches de son chemisier, je finis par découvrir la trace d'une piqûre dans une veine de son avant-bras.

M'est avis que mes deux frères Karamazov lui ont administré un petit zinzin soigné pour la neutraliser.

Tu connais l'esprit de décision de Son Excellence Santantonio quand il se met à chier des bûches ? En moins de temps qu'il n'en faut à un feignant pour ne rien faire, j'ourdis un plan d'action.

Mais il faut se remuer le dargif car j'ignore si les deux gavroches soviétiques sont partis pour dix minutes ou pour dix ans.

* * *

Ali reste baba (impossible de la laisser passer, celle-là) en me découvrant sur le pas of the lourde, son vénérable maître l'ayant averti qu'il nous prohibait sa demeure.

Je réclame après le maître de l'Ecole Antinomiste, mais l'eunuque branle du chef (c'est tout ce qu'il peut se permettre) d'un air redoutable, et puis applique sa large main gantée sur ma poitrine pour y exercer cette fameuse poussée de bas en haut qui fait tant chier les corps plongés dans un liquide déplacé.

Ce genre de manières m'horripile (atomique). C'est

pourquoi Ali se morfle une cacahuète de magnitude 8 qui
te me le quatreférenlaire proprement ; très bel exemple
d'endormissement spontané, avec z'yeux révulsés, bouche
ouverte et jolie tache bleutée au menton, laquelle évoque
dans les grandes lignes la carte de la Suisse.

J'enjambe le mecton. Justement, Gauguin-Dessort surgit, torse nu, en short bleu pâle. Il y a la poitrine velue de
poils blancs, ainsi que l'écrivait y a pas tellement très
longtemps M. Robbe-Grillet dans le bulletin paroissial de
son arrondissement. La surprise prend chez lui le pas sur
la colère.

Alors, ma pomme, j'embraye sec, passant directo la
seconde, puis accélérant pour sauter la troisième.

— Ici France ! je beugle. Un Français parle à un
Français. L'intérêt supérieurement supérieur de la chère
mère Patrie doit faire taire les préventions et autres
préjugés ! Un fonctionnaire de la Nation se met sous la
protection du plus éminent de ses artistes. Ce génie du
pinceau le repoussera-t-il ? La chose équivaudrait alors à
un refus d'assistance à France en danger. Je n'ose le
croire ! C'est deux siècles d'Histoire, qui par mon index,
viennent sonner à votre porte, monsieur. Oubliez ma
fonction qui vous débecte pour réaliser qu'en fait, c'est
Vercingétorix, Charlemagne, Henri le Quatrième, Riche-
lieu, Louis Quatorze, Danton, Napoléon Pommier, Gam-
betta et de Gaulle qui se tiennent présentement devant
vous, l'alarme à la bretelle, l'arme à l'œil et presque à
gauche, et le cœur ardent. Ici M. Deux-mille ans ! Ici
France ! Et c'est à l'un des plus purs joyaux de l'art
français que je m'adresse.

Gauguin-Dessort est dérouté, toute rogne refoulée. Elle
grandiloque de la breloque et des pendeloques, cette
vieille loque. Le tricolore lui monte au front. Tu croirais
le Vieux, quand c'est LE Président en personne qui le
carillonne.

Son regard se voile comme quand on filme une actrice
décrépite à travers un tulle pour lui réparer des ans
l'irréparable outrage à la pudeur.

Un écho de mes paroles ricoche sur sa bouche en anus d'âne constipé.

— Pour la France, pour la France, la France...

Et il devient très bien, le maître de l'Ecole antinomiste. Rectifiant la position, petit doigt sur les vergetures de ses jambes, menton à l'aplomb de Colomb-Béchar (aujourd'hui *Béchar* tout seul puisqu'il n'y a plus de colomb en Algérie), regard en hypnose, il écrie après un silence :

— Prêt !

Gagné.

Je le salue militairement :

— Merci, mon peintre ! La France vous adresse sa gratitude.

Les grands moments d'extrême tension sont toujours suivis d'un relâchement bienheureux, comme l'est de pets le cassoulet le mieux trempé.

— Asseyez-vous, flic ! m'enjoint Gauguin-Dessort.

Je pose délicatement un cul déjà fendu dans un fauteuil crapaud qui cherche à se faire aussi gros que le veuf.

— Motif de votre requête ?

— Une fille à héberger pendant quelque temps, je viens de l'arracher aux griffes de deux agents russes.

Il sourcille.

— Mais donc, vous faites dans le contre-espionnage ?

— Il m'arrive. Je suis commissaire spécial, très spécial, Maître.

Il rassérène à tout va.

— Ah ! bon, que ne le disiez-vous. Contre-espionnage, mais c'est bon, cela, c'est très bon ! Tout à votre disposition, mon cher. Quand m'amènerez-vous cette malheureuse ?

— Elle attend devant la porte dans une Land-Rover que m'a prêtée la directrice du Sphinx.

— La chère Martha ! Une exquise copine. Bonne salope bien qu'étant néerlandaise ; généralement, ces gens sont roses et asexués, à preuve, ces putes d'Amsterdam qui font la gloire de la ville sont recrutées en France et en

Allemagne. Vous est-il arrivé de forniquer avec une Hollandaise, bon ami ?

— Parfois.

— Et vous préférez leur fromage, non ? Encore que. Eh bien, je vais vous en apprendre une délicieuse : la mère Martha est l'exception qui confirme la règle. Toute tapée qu'elle soit, c'est de la fière baiseuse, vaillante à l'ouvrage. Si l'occasion s'en présente, demandez-lui de vous pratiquer le domino batave, unique ! Demandez-le-lui de ma part, elle ne vous le refusera pas.

— Merci du tuyau, Maître. Ainsi donc, vous consentez à accueillir cette personne ?

— Ne la faites pas attendre.

— Je dois vous prévenir qu'elle a été médicamentée par ses ravisseurs et que son état nécessite une vigilance soutenue.

— Les gueux ! Nous allons nous occuper d'elle. Vite !

Quatre minutes plus tard, Arabella Stone est installée dans une coquette chambre climatisée. Elle est toujours terrassée par un sommeil dur comme le bitume.

— Chouette lot, admire Bérurier après que nous l'eussions dévêtue et bordée. Si elle pèserait cinquante kilos d'mieux et qu'elle eusse quéqu' verrues sur la frite, é m'rappellerait ma Berthe à nos débuts. Sauf que Berthe est brune et qu'elle a le front étroit et le nez large.

— Va rendre la chignole, Gros.

— Et ensute ?

— Attends le retour des Popofs dans ta piaule, observe leur comportement.

— Et ensute ?

— Ensuite tu agiras en fonction de la situasse.

— Et toi ?

— J'attends le réveil de la môme, j'ai des choses à lui faire dire.

— T'as pas choisi la plus mauvaise part ! grogne l'Enflammé.

« J'suppose que les Ruskis vont faire du rébecca quand ils vont s'aperçoivent qu'la frangine n'est plus là ? »

— On verra.

Le colonel Bérurier claque l'étalon et se retire en déboutonnant sa braguette pour une intense grattée de son fourrage intime. Je l'entends maugréer comme quoi il ne serait pas surpris que la contrée fût infestée de morbacs.

***

La vie de château.

Celui de la Belge au Bois Dormant.

Son souffle est imperceptible, Arabella. Mais régulier cependant. Je m'installe sur une bergère, pose mes lattes et croise mes mains sur mon abdomen. Au bout de peu, Ali rapplique, lesté d'un plateau abondamment garni où figurent du scotch, du jus d'orange, un seau à glace thermique et des amuse-gueules. Chose confortante, l'esclave ne paraît pas me tenir rigueur de mon crochet à la mâchoire. Il est redevenu le serviteur muet et zélé d'avant l'algarade. Il se retire silencieusement. D'ailleurs, tout ici est silencieux. On ne se croirait pas au cœur de la belle Afrique, mais dans une paisible maison de l'Ile-de-France. Je bois un verre d'eau glacée et me laisse dériver sur l'onde moelleuse de ma fatigue.

Rude journée, intense, échevelée... Je tente de la récapituler, mais j'y renonce car la dorme me prend, suave. Un abandon somptueux. La réalité m'indiffère doucement.

La somnolence est un état providentiel qui te permet de penser en pointillés, mais avec un grand détachement et une parfaite lucidité. Tu réfléchis en faisant abstraction de ta personne : le rêve ! Perdu dans la douceur de cette barbe à daddy, je contemple les choses de haut, sereinement... Reprenant tout par le début, et parcourant l'ensemble à grandes enjambées de pensée, si tu voudras bien m'autoriser une image aussi conne.

Stromberg tuant trois personnes pour récupérer un « petit trucmuche » qui n'a d'intérêt que pour lui, prétend-il.

Il file à London par le train pour y prendre l'avion. A la gare, les Russes l'attendent, le blessent. Il leur échappe. Quelques plombes plus tard, Arabella Stone débarque à la gare à son tour en s'informant si Stromberg a bien pris le dur. Sont-ils de connivence ? Probable, puisqu'elle a affaire aux Popofs à son tour aussitôt qu'arrivée à Victoria Station...

Deuxième époque : la Côte-d'Ivoire... Le tueur, bien que se sentant coursé, n'hésite pas à user des grands moyens pour filer à Sassédutrou auprès d'un faux Bokassa. Mon intervention fout la merde et il se taille en essayant de laisser croire qu'il a cramé dans son bahut. Détournement d'un coucou de tourisme pour se faire amener à Gagnoa. Fidèle à son principe de la terre brûlée, il bousille le pilote. Une fois à Gagnoa il disparaît. Tandis que je le cherche, je vois surgir Arabella flanquée de deux agents soviétiques. Que viennent-ils maquiller céans ? Et pourquoi se font-ils accompagner de leur prisonnière malgré les risques que cela comporte ? Ont-ils donc à ce point besoin d'elle ?

Ce pilonnage de questions achève de m'anéantir. Cette fois, je me mets à en écraser sérieusement, tout en conservant pourtant une position de semi-veille qui laisse mon sub en alerte pour le cas où la donzelle s'éveillerait. Je sais que le menu bruit produit par ses paupières soulevées me fera l'effet d'un coup de canon.

Je suis comme ça !

*   *

Ce qui m'arrache, tu vas rire, c'est le couinement d'une semelle de soulier.

Avant d'émerger vraiment, je me chantonne : « J'ai les godasses qui pompent l'eau ! »

Et là-dessus, j'écarte mes doubles rideaux. A première

vision, je crois sincèrement que je rêve, selon l'expression aussi conne que sacrée, voire consacrée. A toute vibure, je me dis : « Ça va passer. Je suis réveillé, donc ça va passer. »

Mais ça ne passe pas.

Devant moi, trois personnes : deux Noirs balèzes et un Blanc qui finit par me devenir familier puisqu'il s'agit de Jan Stromberg, le tueur d'élite.

Dedieu, la sale frime ! Une bouille de fumier pareille, ça équivaut à de la franchise. Il me braque de ses trois yeux noirs : son regard et l'orifice de sa pétoire. Chose étrange et incommodante, ses falots sont gris acier, mais le regard qu'ils distillent est plus noir que l'encre de Chine dont on fait les estampes japonaises.

Déjà, à Sassédutrou, ils m'ont fait froid dans le dos, sous les bras, dans la périphérie rectale et entre les orteils, ces vilains quinquets, lorsque l'homme me braquait dans le poste de garde avec l'intention bien arrêtée de me mettre au régime du passé simple.

Il s'approche du lit tout en gardant son arme dirigée vers mon irremplaçable personne. Même quand il regarde Arabella et lui palpe la tête, il continue de me tenir en joue.

S'étant assuré que la fille vit toujours, il fait un signe aux Noirs. Les deux balèzes vont au lit, dégagent le drap de dessus, et saisissent celui de dessous par ses quatre coins pour en confectionner une espèce de hamac dans lequel ils évacuent ma pensionnaire.

« San-Antonio, me dis-je, là s'interrompt ta brillante carrière. »

Comment en serait-il autrement ?

Je suis bœufé dans un fauteuil, sans arme, engourdi, ahuri, dépassé. Et l'autre, l'implacable, se tient debout, à deux mètres de moi, son feu fixé sur ma poitrine. Je sais déjà que lorsqu'il pressera par deux fois la détente de son arme, ses bastos me feront éclater le cœur. Car pour cet homme marginal, le cœur, c'est uniquement cela : une cible ! Une simple cible qu'il touche à tout coup.

— Dites, Stromberg, murmuré-je, ça vous ennuierait, avant de me plomber, de m'expliquer à quoi sert l'objet mystérieux que vous êtes allé récupérer chez les saltimbanques du cul ? Si vous me le dites, en revanche, je vous dirai comment nous avons eu vent de son existence.

Mais autant s'adresser à une borne kilométrique, à un paysan gallois, à un suspensoir, à la photo couleur de Louis X le Hutin, à une motte de saindoux, voire même à une préposée des pététés : Stromberg ne réagit pas. Aucun mot, aucun rictus, nul frémissement. La seule chose qui bouge en lui, c'est l'index de sa main droite. A peine : d'environ trois ou quatre millimètres. Cette fois, j'en suis à peu près certain, il ne tire qu'une fois. Et la détonation est molle. Je m'engloutis en moins de temps qu'il ne m'en faut pour te l'écrire, dans une totale inconscience, après avoir franchi un tunnel noir et glacial.

*
* *

Dégueule-t-on au paradis ?

T'offusque pas. C'est une simple question que je pose à qui peut y répondre, commako, en passant.

Crois-tu que si j'écrivais à Jean-Paul II pour le lui demander, il me renseignerait ?

Le plus simple, dans le fond, ce serait d'acheter une table tournante pour questionner les potes de l'Au-delà.

Au-delà de quoi, à propos ? L'expression m'a toujours perplexé. Ils disent « l'autre monde ». Y a pas d'autre monde ; il n'y en a qu'un avec la Terre, les astres, la vie, la mort, le connu, l'inconnu. C'est ça : LE monde ! Le monde c'est TOUT. C'est toi, moi, Dieu, un coq de bruyère, une sardine à l'huile, une touffe d'orties, la planète Mars, la cinquantième galaxie à gauche quand on sort de la gare.

Mais bon, ça ne répond pas à ma question : dégueule-t-on au paradis ?

Probablement pas, hein ?

En ce cas ça indiquerait que je ne suis pas mort puisque

me voilà à accrocher les wagons sur le plancher, me ratiboisant l'estom', la boyasse, tout bien, raclant les fonds de tiroir, me frottant l'entraille à la toile émeri. Dès qu'un spasme se calme, un autre naît, se développe, et voilà que j'appelle Hugues, Arthur, Olga, toute la famille Machin, comme un lionceau appelle sa vioque, vraôum, vrâouff ; beurg, rebeurg et dix de der.

Bongu, ce nettoyage de printemps ! Me v'là vide comme un sifflet qui a perdu la boule. Je parviens à me relever. Une odeur dégueu flotte dans l'air à la ronde. Ça fouette l'œuf pourri et pire encore.

« Un gaz, me dis-je. Stromberg m'a virgulé un gaz anesthésiant surchoix qui te fait perdre conscience en deux secondes. Pourquoi ne m'a-t-il pas trucidé ? Il a bien tenté de le faire à Sassédutrou ! Note que je ne lui en veux pas d'avoir changé d'idée. »

Je me traîne, plié en deux, en quatre, en douze, jusqu'au couloir. Ali est en train de dégobiller ses tripes, lui aussi.

De même, au salon, que le peintre et son cheptel. Tout le monde va au refile. Rrraoum ! Chpleug ! Avec ses intonations propres, sa manière. Le style, c'est l'homme !

Je propose de l'eau gazeuse à la ronde, mais ils sont trop dans les fusées ardentes, les uns et z'autres, pour se permettre d'ingérer quoi que ce soit.

Personnellement, j'essaie d'une lampée de scotch au goulot. Elle repart en croisière aussi sec, chplaoufffff !

En plus un mal de citron accroît ma douleur. Nous faut du temps pour récupérer un tantisoit. L'une des noiraudes, plus coriace, retrouve la première sa vitesse de croisière. M'explique par gestes et mimiques que trois mectons sont entrés ; un Blanc, deux Noirs, je sais, je sais. Un coup de revolver en direction du groupe et : bonne année grand-mère ! Tout le monde descend !

Je suis furax, vaguement admiratif.

Comment diantre ce diabolique Stromberg a-t-il su que j'avais mis la main sur Arabella Stone ? Et que je l'avais conduite ici ? En somme, en l'arrachant aux Russes, je lui ai tiré les marrons du feu.

Gauguin-Dessort a du mal à se récupérer. A son âge, on traîne immanquablement des vacheries respiratoires, genre asthme. Je conseille, toujours par gestes et mimiques, à ces demoiselles d'appeler un toubib et je fonce dans le soir tombant en direction de l'hôtel Sphinx, espérant y dénouer une partie du voile, comme j'ai lu récemment dans un très beau livre de la Collection *Je mouille à tout vent*. En effet, les circonstances m'induisent (en erreur d'abord, mais aussi) à changer ma politique d'épaule. Pourquoi, dès lors que me voici bité de première, ne pas faire alliance avec les Russes ? On joue cartes sur tapis, eux et moi. Ils me disent ce qu'ils goupillent, moi j'agis de même, et que le meilleur (qui est San-Antonio, bien sûr) gagne.

Bien pensé pour un petit cerveau, non ?

La place est grouillante de marchands en plein air qui s'éclairent avec des loupiotes à acétylène qui puent tout ce qu'elles peuvent. La foule déambule de l'un aux autres, s'arrêtant pour regarder, palper, marchander. On vend de tout ; des saloperies en faux ivoire *made in Paris*, des tissus africains *made in Hong Kong*, des noix de coco, des lézards empaillés, des bijoux de cuivre ciselés, des épices odoriférants, tout ça... Des charmeurs de serpents jouent *La Paimpolaise ivoirienne* à leurs cobras. Des musicos te liment les tympans de leurs petites flûtailles. C'est beau comme l'Avant-Guerre, coloré malgré le crépuscule. Pittoresque à redégueuler sur ses ribouis et admirable d'ingénuité.

La vie qui va, qui grouille, qui lève comme de la pâte à pain noir. J'en suis un brin conforté. Je me sens en état de fraternité, tout soudain. Moins seul, moins en butte, moins déçu.

Et je traverse cette splendeur en réfrénant mon allure trop pressée parce qu'on n'a pas le droit de ne pas savourer les minutes d'enchantement. Que, malgré tout, à grands ou petits pas, lorsque tu continues de placer un pied devant l'autre, tu finis par te rendre là où tu vas, nécessairement.

Et me voici à l'hôtel de la chère Martha. Son julot branquignol est pété comme le carter d'une bagnole privée d'huile. Effondré dans la pièce marquée « Bureau », devant une boutanche vide, il ânonne en regardant ses mains de très près pour s'assurer que ce sont bien les siennes.

Je file directo à la carrée du Gros. Un tapage prénocturne s'y déroule. Qui a attiré plusieurs clients, inquiets.

Ces messieurs-dames écoutent, en demi-cercle devant la porte. Ils se dévisagent, ce qui n'est pas grave vu qu'ils se traînent des bouilles ravagées par des tracasseries biliaires. On entend un bruit de vieille batteuse. Et puis des grandes gueulées en hollandais, qui est un dialecte que je t'en fais cadeau, merde ! Heureusement qu'ils ne sont pas plus d'une quinzaine de millions à causer cette connerie. Que c'en est à se demander où ils sont allés pêcher de tels signes vocaux pour traduire leurs idées, ces nœuds. D'ailleurs, tu m'empêcheras pas de croire que la pensée ne va pas loin, de la sorte exprimée. Faut rien avoir à dire pour user de cette langue. Je te la situe entre le chien et le merle des Indes ; mais ça n'engage que moi, hein ? Tu peux estimer le contraire, chacun est con à sa guise.

Ces grands cris néerlandoches répondent à des grognements d'ours. Parfois un bout de phrase en français explose, genre : « Tire plus mieux su' tes jarrets, bougu' d'vieill' fumière ! » Ou bien : « Ah ! j't'vas faire rutiler l'oigne, salope ! » Voire encore : « Oh ! mais ça a la chaglate molletée, c'te carne ! »

La déduction s'impose : Béru a profité de mon absence pour séduire notre taulière, ce vilain, et se l'emplâtrer à sa manière, qui est toujours rude et dévastatrice. Chez le Gros, tu l'as remarqué, l'invective devient mot d'amour. Pour lui le mot salope est le superlatif du mot chérie.

J'empoigne le loquet de laiton et dis aux anxieux, avant d'ouvrir :

— Allons, allons bonnes gens, circulez, y a rien à voir !

Tu parles qu'ils me croivent !

Ils coagulent au contraire, pas manquer le jeton qu'ils subodorent lorsque le vantail s'écartera.

Bon, après tout chacun a le droit de regarder la France au fond des yeux, n'est-il pas ?

J'ouvre.

Oui, je m'en gourais : la brouette mongole !

Les parfaits conducteurs connaissent leur bagnole à l'oreille. Mécolle, je suis licencié ès Béru grâce beaucoup à mes trompes d'Eustache.

Le Gros ressemble à un colporteur dont l'éventaire serait Martha. La dame tient ses cannes repliées, les genoux presque au ventre. Sa Majesté a noué ses mains sous la nuque de sa partenaire et la promène dans la chambre, en lui infligeant à chaque pas une terrible secousse contondante. Faut être costaud pour s'offrir un coït pareil. Il l'est.

Le spectacle est d'une telle beauté que j'en oublie de refermer la porte, ce qui est aubaine pour les mateurs concentrés dans l'encadrement. Bérurier, qui m'aperçoit, ne s'offusque pas, étant de ces hyper-robustes qui peuvent discourir la bouche pleine.

— Rien d'grave, mec ? Tu voyes, j'fais un brin d'cour à Médème. Encor' quéqu' z'aller-retour et j'sus t'à toi.

— Je t'en prie, ne bâcle pas.

La vioque qui pâmasse continue de bataver en clamant des *god ; god,* ce qui prouve qu'elle convie le Seigneur à sa reconnaissance, ou bien, si elle connaît l'argot français, qu'elle annonce l'état dans lequel se trouve le mirifique pénis du Gravos.

— Allez, hop, on va décoller, la mère, grouille-toi d'choper ton fade si qu'tu voudras pas finir la route à pinces ; en ce dont qui concerne ma part, je vais toucher mon bon d'caisse, t'es parée pour l'envolage, Poupette ? Concentr'-toi d'la moniche, ma grande, j'cravache. Allez, zou : on prend l'virage à la corde ! D'dieu d'pétasse, mets-toi en prise direc', j'te dis ! Allez, tchao, maint'nant chacun pour soye, j'largue les amarres ! Vouaiaiaiaiaia !

Il s'arrête pile, secoue sa tronche de bœuf assommé comme un qui vient d'avoir un étourdissement, puis, d'une terrible ventrée, propulse sa partenaire histoire de s'en dégager Peu galant, une fois assouvi, il la lâche conjointement et la Martha néerlandaise part à dache sur le plancher. Sa tronche rencontre le pied du lit.

Le choc fait « bloing ! » L'hôtelière, K.O. inanime recta, avec une jambe qui indique la direction de Lyon, et une autre celle de Nancy.

Béru hoche la tête.

— T'as vu l'panard qu'é s'paye, Césarine ? En pleines vapes !

Il se tourne vers les spectateurs que l'intensité de l'accouplement a amenés à l'intérieur de la pièce.

— Bon, ben v'là, M'sieurs-dames, dit le Gros, pas gêné pour un franc C.F.A., c'est humain, non ? Ces choses-là, quand c'est qu'elles vous prennent, faut répond' présent.

Il s'approche d'une ravissante Américaine de soixante-quinze ans, laquelle s'apprêtait à se rendre à une invitation en ville, sublime dans une robe immaculée, un châle de soie blanc sur le bras.

— Vous permettez, p'tite voisine qu'je me bricole un léger rafraîchissement ? demande l'Infâme en bichant un pan de châle pour s'en fourbir le tringlard. Ayez pas peur : ça part au lavage.

Le Monstrueux jubile.

— Tu voyes, Sana, ce bled, on y crève p't'êt' de chaleur, mais on s'y fait drôl'ment rigoler l'aubergine folâtre. Attends, Mémère ressort du sirop ; bouge pas que j'l'aide à s'remett' d'aplomb, faut'êt' gentleman jusqu'au bout du zob. Allez, zou ! D'bout, les morts ! Kif kif Verdun. Comment se lave va-t-il, ma colombe ? J'vous ai manigancé la toute belle séance, non ? A vot' âge, vous pensiez plus vous faire emplâtrer à la casaque telle un'jeun'fille de bonne famille. Vous voiliez qu'on n'doit jamais désespérer ; toujours garder son foie à l'avenir Vous pouvez rentrer dans vot' tome, les uns, les aut', on affiche relâche pour répétitions. Moi et mon camarade, on a d'aut' trous du cul à s'occuper, pas vrai, Tonio !

Il refoule, gentil mais ferme, ayant conservé de l'époque où il était gardien de la paix l'art de disperser les monômes à coups de pèlerines ou de bâtons blancs.

Lorsque nous sommes seuls, il me confie :

— Bon, le derche, c'est bien joli, nez en moins faut pas mouler le devoir pour l'O.T.A.N. Qu'je te bonnisse comment t'est-ce ça a débuté, moi et la taulière. Je gratouillais l'mur pour pouvoir mater chez nos excellents camarades Marteau et Lafaucille quand ça s'est mis à r'muer l'ménage chez ces bons mecs. Comme si ça castagnait sans qu'on veut faire de tapage, j'sais pas si j'me fais bien comprend' ?

— Et puis ?

— Et puis y a eu comme un' sorte d'espèce d'esplosion : baoum ! Et ensute, plus rien. Illico j'ai sorti pour aller aux nouvelles. La Martha qu'avait esgourdé d'même se pointait au pas j'm'l'astique. « C'est quoi t'est-ce ? elle m'informe. — J'sais pas, je la renseigne ! Elle frappe à la lourde. « Quoi t'est-ce ? demand' une voix. — Y a rien de cassé ? elle explique. — Non, pourquoi ? qu'on raconte d'puis d'dans. — Ah ! bon, merci, rassure l'Hollandoche.

« Et moi, te connaissant comme je te connais, tu parles que sans faire rire le coup (1) j'y vadrouille la mano au prosib ; compte t'nu qu'y lu est resté un prose véridiqu' ment convoitible. Oh ! la mère, sa rédaction ! Tout just' qu'ell' m'a pas fait choirer dans ma grotte miraculante, la manière qu'é m'y a trémulsé. Une drôle d'goulue, espère. »

— Et tu n'as plus rien entendu en provenance de chez nos voisins ?

— Non. Faut avouer aussi qu'Martha me bieurlait ses culteries dans les manettes : rien qu'de l'hollandais pur fruit · ça court-circuite les muqueuses d'l'oreille.

---

(1) *Béru veut sans doute user de l'expression « sans coup férir ».*

Note du Gaz.

— Allons tout d'même visiter ces messieurs, dis-je, j'avais précisément des questions à leur poser.

En trois phrases admirables de raccourci, je mets le Tringleur de charme au courant des derniers événements et nous allons frapper à la lourde voisine.

On ne répond pas.

— Qui ne dit rien consent, déclare le Munificent.

Et comme il a raison !

J'entre.

Les deux Russes sont allongés côte à côte, soigneusement, comme deux sardines dans leur sarcophage à l'huile d'olive. Mais eux, ce n'est pas le gaz anesthésiant, leur tasse de thé. Ils ont eu droit à la vraie potion magique. Vlan ! Vlan ! Et Vlan, vlan ! Signé Stromberg.

Le poste émetteur en rade est déballé sur la table. Probable qu'ils s'acharnaient à l'utiliser quand le tueur est venu leur rendre visite. Ayant constaté la disparition de leur prisonnière, les deux hommes ont voulu en référer aux instances supérieures.

Quant à la détonation perçue par Sa Majesté, elle résultait de l'explosion du pistolet secret dont ils ont fait usage lorsque Stromberg les a surpris.

— On a beau êt' au pays des singes et des arbres géants, ça d'vient de plus en plus duraille d's'accrocher aux branches, lamente le Mafflu. Ton pote Strombergue, quand j'vais l'tiendre, ce qu'j'ai su' la patate, j'lu dirai pas av'c des fleurs.

— Seulement voilà : le tiendrons-nous un jour ? soupiré-je. Jusque-là, un sort malin joint à ma sottise a fait que nous lui avons servi la soupe. Il doit finir par nous aimer, cet homme.

CHAPITRE BOUSE (1)

Le truc qu'on nous sert, dans ce restaurant folklorique de Gagnoa, est sympathique à contempler. Une espèce de ragoût de buffle aux fèves, haricots, pois machins, hautement féculents. Le tout est sommé d'une sauce brunâtre, onctueuse, réhaussée de coulées rouges. Seulement quand tu veux clapper ça, c'est une autre paire de manches à choses ! A la première bouchée mes yeux s'emplissent de larmes et mon palais prend feu comme s'il était investi par les troupes à Paul Pot. Le cuistaud n'a pas chipoté sur le piment ! Ah ! la vache ! Avec une fourche, qu'il le virgule dans ses tatouilles. Je reste le couloir béant, attisant la brûlure avec l'oxygène que je m'enquille.

Alexandre-Benoît, dit Bouffe-Toujours, dit Baise-en-biais, dit Le Massacreur, dit le Con-Soleil (jamais la connerie ne se couche sur son Etat), dit Queue-d'âne, dit Gradube, dit le Surzobé, dit Bras-d'airain, dit Sa Majesté, dit l'Enflure, dit Bois-cul-sec, dit l'Ogre-de-Barbarie, dit Lajoie, dit le Mammouth, dit Casse-cabane, dit Vas-y-mou, dit Big Benne, dit Grosse Pomme, etc. Alexandre-Benoît, donc, morfille ce nectar comme s'il s'agissait de rahats-loukoums. Il est béat, appliqué, boulimant comme marche un marathonien, pour aller loin et longtemps.

(1) *Dédié à certaines vaches de mes relations.*

— Enfin un plat qu'a du goût, m'explique l'Hénorme.
Moi, le pire, c'est quand j'briffe du fadasse. .

Repoussant mon assiette, je prends le parti de l'admirer
en mangeant le pain-galette accompagnant le plat du jour.

Mille et une idées tourniquent sous ma coiffure. Et c'est
la mille et unième qui m'accapare le plus.

Ça commence comme la lueur vacillante d'une bougie
dans un égout. Qu'à tout bout de champ l'obscurité risque
de prendre le dessus complet et définitif. Mais, vaille que
vaille, la lueur tient bon. Elle se couche, s'amenuise, puis
repart, plus haute et plus éclatante. Par moments, cette
flamme se met à enfler, telle celle d'un chalumeau trop
ouvert. Et j'ai alors une lampée de vision, si tu me
permets. Un vlaouff ! de compréhension, informulé, qui
vitement retombe.

— T'as l'air constipé des méninges ? remarque le Gros,
bien qu'il me regarde fort peu. Comme si qu'tu t'd'man
derais la couleur d'mon slip.

— Je la connais, riposté-je, il ressemble à un pavillon
de corsaire.

— Ça n'va pas, la vie ?

— Justement, qu'elle continue d'aller me surprend.

— Espose, j'sus preneur : j'peux manger et écouter en
mêm' temps.

Ainsi sollicité, je plonge, sachant parfaitement qu'à
énoncer ses tourments à voix haute on leur trouve plus
facilement un remède.

— Tu en conviens, ce Jan Stromberg est plus qu'un
tueur à gages, c'est un massacreur. Il tue comme on
virgule de l'insecticide dans une chambre en été. Sa façon
de prendre congé, c'est deux balles dans la tronche.

— Jamais vu un gugus pareil, renchérit le pimento-
phage.

— En ce cas, comment expliques-tu qu'il m'ait fait
grâce, tout à l'heure, chez Gauguin-Dessort, et qu'il ait
également épargné le peintre et son cheptel ? A Sassédutrou, il a cherché à m'abattre, et voilà qu'ici il me laisse la

vie sauve, alors que je le talonne et lui complique les choses depuis London ?

Bérurier s'entifle une fourchetée de fricot incandescent. Il réfléchit, ou fait admirablement semblant, et laisse tomber cette sentence sans équivoque :

— Faut voir.

Le bruit de sa mastication fait songer à celui d'une machine à laver la vaisselle dans sa phase de rinçage. Un peu de nourriture excédentaire sourd par ses commissures.

— Il l'avait belle de me foudroyer, reprends-je. Mais il s'est abstenu. Pourquoi ? Hein, pourquoi ?

C'est alors que le Pertinent suggère :

— Des fois qu'il aurait b'soin d'toi, mine de rien. Tu croyes lu mett' des bâtons dans les roupettes, mais qui t'dit qu'tu n'vas pas dans l'sens d'son histoire ? Dis-toi qu'c'est pas l'mec à faire l'moind' cadeau ; il t'a laissé viv' pour un'raison précise.

— C'est ce que je me dis, me redis à en prendre mal au cœur, Pomme-à-l'Huile ! Bon, alors je vais te formuler la question brutalement, et tu vas y répondre spontanément, sans réfléchir. C'est notre instinct qui nous tracasse, c'est lui qui doit nous apaiser.

Je saisis le poignet qui lui sert à hisser sa grosse patoune chargée de bouffe jusqu'à son incinérateur à choucroute.

— Bérurier, vous êtes avec moi ?

— Je !

— Bérurier, regardez-moi au fond des yeux, comme Giscard regarde la France les veilles d'élection, vous y êtes ?

— J'y ai.

— Bérurier, faites le vide en vous !

— Y a jamais l'plein !

— Bérurier, écoutez bien ma question : pour quelle raison l'impitoyable tueur qu'est Jan Stromberg m'a-t-il épargné chez le peintre Gauguin-Dessort ?

Hypnotisé, ou presque, le médium rote une fournaise

qui détruit instantanément une escadrille de mouches
vertes et bleues qui croisaient par là.

— Parce que vous vous trouviez CHEZ le vieux
glandu, répond-il, dès qu'il a accroché les wagons.

— Bérurier, ne vous déconcentrez pas, restez avec
moi !

— J'y reste.

— En quoi, le fait que je me trouvasse chez le peintre
a-t-il motivé qu'il m'épargne ?

— Il vous épargnasse biscotte s'il vous tuasse il eusse
dû tuasser aussi le père La Barbouille et qu'y n'voulait
point.

— Donnez une information plus complète !

— Si y n'voulait point tuasser l'Dabe et qu'on trouvasse vot' cadavre chez césigue, l'vieux aurait eu des
mailles à partir av'c la police qui eusse enquêté et foutu la
merdouille.

— Bérurier, faites un effort !

— Qu'est-ce j'sus en train d'branler ; hmmm ?

— Pourquoi fallait-il éviter des complications à
Gaugin-Dessort ?

— Parce que l'vieux est d'mèche d'près ou d'loin dans
c'qui s'mijote ici. Et quand vous v'nez me tartiner les
burnes av'c les lieux esseptionnels qu'on peut dégauchir
dans c'patelin, j'vous répondrerai qu'si l'palace du vioque
en n'est pas un, merde, qu'est-ce y vous faut-il !

— Bérurier, vous êtes le plus grand médium de tous les
temps.

— J'sais, tank you very moche.

— Vous pouvez sortir de votre état second, la séance
est terminée.

— Pas trop tôt, j'allais manger froid, et y a rien d'plus
crétin qu'de bouffer froid c'qui doit s'manger chaud !

Comme si de rien n'était, Sa Précieuse Majesté se remet
à tortorer avec conviction, fougue et délicatesse.

Tandis qu'elle s'empiffre, je regarde déferler les pers-
pectives si prodigieusement offertes par mon incompara-
ble (un con parable).

L'évidence même, parbleu !

***

Martha roupille pas loin de la réception où une loupiote confidentieuse veille. Ce sont les ronflements de son jockey qui nous guident. Il a du mal à assumer sa biture, Gustave. Un de ces quatre, il renoncera à respirer, par paresse. Ça lui devient trop duraille, à la longue. Le scotch ramasse dans ses soufflets. Il filtre de plus en plus mal, le pauvret. L'Afrique est dure aux Blancs. Au début, c'est tout beau, mais les semaines s'ajoutant aux jours et les années aux mois, le spleen vient, ennemi juré du foie. On s'engouffre dans les cirrhoses, s'y installe, ou croit s'y Et puis tu vois : ça craquelle, fissure, biscorne.

Il faut beaucoup tambouriner pour l'arracher, la mère. Quand on jouit d'un sommeil qui résiste aux ronflements du petitout, c'est pas un toc-toc de valet de chambre qui peut te sortir des inconsciences. Enfin elle grumeuse, décamote, expectore (et à travers) et demande pourquoi et qui.

Ce dont je m'acquitte.

La v'là, toute mal réveillée, des toiles d'araignée aux chasses, le cheveu filasse, et des arrière-goûts qui te parviennent : brise de nuit fleurant la braguette de cantonnier yougoslave.

— Ce qu'il y a, mes chéris ?

Ses chéris lui racontent comme quoi, malgré l'heure un temps pestive, ils ont grand besoin de son aide.

— Pour quoi faire, à pareille heure ? Une pipe ? Une nouvelle tringlette cosaque ?

Non, non, au matin seulement, quand la bandoche reprendra possession de ses territoires.

— Alors ?

Qu'elle amène seulement une bouteille de rye avec de la glace à moins de zéro degré et on lui expliquera tout bien.

Bonne pâte, elle acquiesce..

Duraille à emballer, la madame batave.

Elle veut bien te turluter le chinois jusqu'à t'en faire sortir une plume de turbot, mais les manigances amphigouriennes, très peu. Elle raconte que le règne du Blanc, c'est point final, en Afrique. S'agit pas de faire des vagues. Les poulets de par ne perdent pas une occase de te faire chier la bite quand l'ouverture se présente. Faut les voir monter à l'essai, les all blacks ! La manière qu'ils te bousculent.

Je décide alors de la convaincre en frappant un grand coup.

— Ma chère Martha d'amour, nous sommes deux agents spéciaux dépêchés par le gouvernement français pour mettre à la raison un tueur que je qualifierais d'international car il opère dans tous les continents. Si vous voulez voir un échantillon de son boulot, suivez-moi.

Et poum ! je l'entraîne chez ses défunts clients russes ! Oh ! la crise ! Pas sous forme de vapeurs, elle a déjà tout vu, mémère, mais la manière qu'elle monte en rogne. Franco-néerlandaise, sa colère. Vitupérienne. Que Béru est contraint de lui plaquer sa main sur le museau pour la bâillonner, pas qu'elle rameute ses autres clilles.

Mais elle continue de gigoter, de pousser des cris, grognements et plaintes avec tout son matériel : gorge, nez, estom'. Le Mastar, ça lui court tellement sur l'haricot qu'il finit par allonger sa guerrière d'un taquet au bouc. Le dentier à Médème part en croisière. Elle cesse de glapir, titube et nous pantelle dans les brandillons.

— Escusez-moi si j'vous d'mande pardon, maâme la dusèche, lui gazouille Béru quand elle remet ses yeux en position de lucidité, c'est pas qu'on est impatients, c'est simp' ment qu'on n'aime pas attendre. Dans la vie, comme disait un frappeur d'médailles : faut faire face, *douille houx un des stands ?* C'qu'est fait est fait. Maint' nant, faut délayer c't'béchamelle jusqu'à qu'é d'vinsse claire comme de l'auroch. Si vous joueriez not' jeu, v's'avez toutes les chances plus une d'vot' côté. Si z'au contraire vous grimpez en mayonnaise comm' une vieille

tordue, ça risque d'êt' la fin finale d'vot' crémerie, me
fais-je-t-il bien comprendre, ou dois-je-t-il vous remett'
les poings su' les z'îles ?

Vaincue par sa conquête, à l'instar (d'Hollywood) de
Napoléon en Russie, elle branle du Bocuse.

J'interviens, doucereux, caressant, velouté, dégoulinant de miel et d'œillades sorceleuses. Martha accepte.

Elle répète mon texte sans se départir de cet accent qui
serait charmant s'il n'était hollandais, déjà qu'elle a la
digue du cul, mémère !

L'apprend par cœur, ce texte circonstancié.

Enfin, elle plonge.

Tandis qu'elle compose le numéro du peintre, Béru,
par flatterie sensorielle, lui caresse les bajoues de la tête de
son zob, en camarade, très amitieusement, et ça la
conforte, la brave taulière. La certitude des bonheurs
physiques l'aide à surmonter cette passe délicate.

— Ça ne répond pas, me fait-elle, pleine d'espoir, dès
la troisième striderie.

— Insistez. C'est l'heure où tout le monde roupille, y
compris les criminels.

Sa patience finit par porter ses fruits, comme disent les
arboriculteurs.

On décoque.

— Allô ! Quoi ? Qui ose me faire chier à... à... Quelle
heure est-il, au fait ? fulmine le vieux peintre.

— Minuit moins dix, répond notre aimée, ici Martha
Van Tauzenscher.

Je perçois, dans l'écouteur annexe, que Gauguin-
Dessort se radoucit.

— Et alors, ma brave femme, que vous arrive-t-il ?

— Des malheurs, mon pauvre monsieur, larmiche la
gravosse, en toute sincérité intégrale.

— Je compatis, mais qu'y puis-je ? demande le Rem-
brandt toutes catégories, en homme dont la pitié a été
laminée par l'existence au point que le seul être susceptible encore de lui inspirer quelque compassion, c'est lui-
même.

— Il faut que je vous raconte, ça vous concerne.

Là, il débouche des portugaises, le barbouilleur.

— Comment cela ?

— Figurez-vous que cinq clients sont descendus chez moi aujourd'hui : deux Russes, une Anglaise, et deux Français. L'Anglaise a disparu, les deux Russes et l'un des Français ont été assassinés dans leurs chambres. Le deuxième Français est grièvement blessé. Un certain San-Antonio. Il me dit de ne pas appeler la police avant demain matin et me demande de téléphoner à Paris d'urgence pour prévenir ses chefs qu'il a tout découvert. Je dois leur dire que vous êtes le P.C. ivoirien de la chose. De ne révéler cela qu'aux gens de Paris seulement. Je crois qu'il délire, n'est-ce pas, monsieur Gauguin-Dessort ?

— Evidemment, répond le vieux sans paraître s'émouvoir.

— J'ai voulu vous demander conseil avant de faire quoi que ce soit, reprend Martha.

— Cela part d'un bon sentiment, ma chère, mais je ne vois guère le conseil que je pourrais vous donner devant le délire d'un moribond.

— Alors, selon vous, je dois appeler les flics ?

— Le moyen de faire autrement ?

Quelque chose se flétrit à l'horizon de mes espoirs, comme l'a si justement écrit Marguerite de la Pointe Duras dans sa recette de la matelote de poissons.

« Seigneur, me dis-je, en aparté mais de toute âme, nous nous serions donc fait mousser la gamberge, l'Excellence et moi, sur des bases erronées ? Et ce vieillard ubuesque serait l'innocence en personne ?

Un goût de fiel, parfumé à la merde, m'investit les gustatives. La déception !

— Bon, eh bien, excusez de vous avoir réveillé, Monsieur Maître, dit Martha. Mais vous comprenez qu'avec tout ce qui m'arrive...

Le roi du pinceau renchérit :

— En toute franchise, je ne voudrais pas me trouver à

votre place, ma bonne, les policiers d'ici vont flanquer une sacrée pagaille dans vos affaires. C'est un coup à vous faire fermer votre hôtel.

La vioque, sincerely, commence à bieurler d'importance, mur des lamentations à elle toute seule, Martha. S'échiner le fignedé à gagner trois francs dans un patelin où les foies claquent comme des bulles de savon, pour qu'un dingue meurtrier vienne tout vous carboniser à l'orée de la vieillesse, merde ! Elle regrette ses polders nataux, dès lors, la mère ! Les moulins à vent ! Fanfan-la-Tulipe et les canaux qu'enjambent de délicieux ponts de poupées.

Elle s'est pas écrémé le tempérament à pomper des nœuds de sous-officiers briqués vite fait, et encore juste le dimanche, pour voir s'écrouler le fruit de son turbin, vingu de charogne !

Bien qu'hollandaise, tu peux plus l'endiguer, la matrone du Sphinx. La mer du Nord se soumet, pas la bile à Maria Van Machin, là, là que non, never !

Le dabe ne moufte pas, là-bas, à l'autre bout ; juste qu'on perçoit son souffle un tantisoit mal aisé de gonzier en gentille partance. La Batave en remet pour dix florins : son jules à demi crevé de cirrhose et qui va larguer les amarres, un de ces quatre au cours d'une crise d'éthylisme aiguë, elle qui trimbale déjà des débuts inquiétants d'elle-ne-sait-quoi de pas luthérien, à la suite d'une méno particulièrement sauvage. Sans parler de sa chère maman qu'elle a toujours, là-bas, dans un village fleuri, une très vieillarde de nonante et mèche, voûtée à l'équerre, chenillée à bloc à qui elle envoie de la fraîche pour lui arrondir les faméliques pensions. Hein ? Elle va devenir quoi, maman, si l'entreprise culbute ? Sans compter que les roycos peuvent parfaitement l'embastiller pour complicité de complicité ou un vanne de ce tonneau, ils sont pas à ça près, la mauvaise foi ne coûte pas cher.

Quand elle stoppe, à court d'oxygène, Gauguin-Dessort fait « tssst ! tssst ! tsst ! » avec la langue frottée à son palais délabré. Et puis il demande :

— Qui est au courant de ce carnage, ma pauvre dame ?

J'adresse un signe véhément à Martha.

— Personne d'autre que moi ; et vous maintenant !

— Et votre ami ?

— Lui ! Il est ivre mort, et quand il n'est pas ivre mort, il est abruti.

Un temps.

Mes espoirs renaissent comme les prairies au printemps.

Quelque chose me dit que.

Et quand quelque chose me dit que, c'est que !

— Peut-être conviendrait-il de trouver une autre solution, soupire Gauguin-Dessort.

— Comment cela ? Quelle autre solution ?

— Si vos morts étaient morts ailleurs, vous n'auriez pas tous ces désagréments.

— Mais... où ?

— La brousse est pleine de potopotos, non (1) ?

— Mais je peux pas y charrier ces gens !

— Je pourrais vous envoyer Ali. Mémère commence à entrevoir quelque chose de lumineux, avec plein de rayons de gloire ; quelque chose d'exaltant comme la rédemption, de durable comme le salut éternel.

— Vous feriez ça, monsieur maître ?

— Entre Européens exilés, on se doit aide et assistance...

Je chuchote quelque chose à l'oreille de la grosse.

— Mais, dites, et le blessé ? objecte-t-elle, docile.

Un nouveau temps.

— Ne prétendez-vous pas qu'il est très mal en point ? murmure le peintre.

— Oui, très !

— Alors je pourrais le prendre chez moi jusqu'à... l'issue fatale.

— Oh ! Monsieur Gauguin-Dessort, je n'ose y croire ! Vous êtes... Vous êtes...

(1) *Marécages infestés de crocodiles.*

— Ne bougez pas de chez vous, je vais vous dépêcher de l'aide, coupe le vieillard.

Il raccroche.

La Néerlandoche me regarde comme une pute regarde une bite qu'elle n'a pu ranimer.

— Le vieux trempe dans une histoire louche, hein ?

— La preuve. On ne propose pas à ses relations de les débarrasser des cadavres encombrant leur plancher.

Soudain, sa bonne frime de dame vieillissante et embourgeoisée se durcit. Elle retrousse sa jupaille et découvre une pochette de toile fixée au niveau de sa cuisse gauche. Nous la contemplons avec curiosité. Martha desserre les cordons de sa bourse, coule sa pogne par l'ouverture et ramène un revolver à canon court, mais de fort calibre, au mufle de bull-dog.

— Maintenant, mes gars, vous allez vous tenir tranquilles en attendant l'arrivée des renforts, hein ? D'accord, le vieux est sans doute un forban, ce qui ne m'étonne qu'à demi, vu qu'il s'agit d'un ancien bagnard, mais c'est lui ma seule planche de salut. Je préfère m'en remettre à ses bons soins qu'aux vôtres, c'est comme ça et pas autrement. Mon choix est fait. Je regrette parce que je vous trouvais sympas, bien français et vaillants de la queue. Surtout ne bronchez pas, sinon j'aurai le regret de vous tirer dessus, mes pauvres enfants. Vous ne seriez pas les premiers sur lesquels je viderais le contenu d'un chargeur. Et c'est justement parce que j'ai eu une jeunesse tourmentée que je tiens à m'assurer une vieillesse heureuse.

C'est très bien dit à elle. Femme d'expérience ! N'a froid ni aux z'œils ni à la chaglatte. Voilà qu'elle devient autre, ma Néerlandaise. Un personnage style M'ma Baker, qui régnait sur une partie de la pègre ricaine à la belle époque du grand Al. Chassez le naturel, il radine au trot attelé. Ses débuts frelatés lui ôtent son vernis de dame « installée ». Le danger qui la dénoblit, Poupette. Prête à cracher de la bastos au moindre cillement, presque par plaisir. Bon, étant plongée dans la béchamel, elle cesse de lamenter pour faire front, crosse en pogne.

Elle regarde Bérurier bizarrement.

Murmure :

— Vous savez à quoi je pense, les gars ? J'ai annoncé au Vieux qu'un des deux Françouzes était cané et que l'autre ne valait guère mieux. S'il vous trouve à la verticale, il va croire que je l'ai chambré. Or, d'après ce que vous dites c'est quelqu'un, cet homme ! J'aurai beau lui affirmer que c'était par contrainte, jamais il n'acceptera ce bourrage de mou. Il faut donc que j'aligne la réalité sur ce que vous m'avez fait prétendre. Logique, non ? Correct ? C'est vous qui l'aurez voulu. Moi, cette histoire me déplaît. Je ne suis allée chercher personne. J'étais là, peinarde, à soigner mes varices en gérant ma boîte. Et voilà que vous débarquez tous chez moi pour y tourner un western à la gomme. Fallait rester devant votre Dubonnet, mes amis. A pousser les autres dans la gadoue, il arrive qu'on y culbute aussi.

Et voilà qu'elle empoigne sa pétoire à deux mains, comme dans les stands de tir. Elle va allumer le Mastar. Juste j'ai le temps d'actionner le commutateur pour supprimer les calbombes. J'avais pris soin de reculer jusqu'au mur. Son tonitruant file des éclairs de feu dans l'obscurité. J'ai entendu plonger le Mammouth. Je me dis qu'il n'a pas écopé. On est bien, commak, les trois, dans le schwartz ; à pas s'apercevoir la moindre.

— Suffit le rodéo ! clamé-je. Jetez votre flingue, Martha, sinon je vous allonge.

Un court temps mort, puis le bruit caractéristique d'un feu tombant sur le plancher. Je redonne la *luce*. Mammy Gravosse s'est effondrée de nouveau, toute velléité à zéro. Elle chiale à plus pouvoir parler, et tu dirais une sorte de grosse petite fille désespérée.

Béru se masse le temporal car il a heurté un meuble en plongeant dans le noir.

Il fulmine.

— Les gonzesses, t'auras beau faire, beau dire, c'est

tout carnerie et saloprance ! Tu les enfiles façon gladia-
teur, qu'elles en oublillent leur nom d'baptême, et è
t'défouraillent contr' quéqu'z'heures après. Si t'y réfléchi-
rerais d'un peu près, tu gard'rais ton foutre pour la
banque du stupre.

Je n'ai pas le temps d'attacher ma philo à la sienne. La
porte est poussée à la diantre foutre, si fort qu'elle
pulvérise un sous-verre représentant un éléphant en train
de chercher un slip assez vaste pour y loger sa trompe.
Stromberg est là. Superbissimo. Tout de blanc vêtu :
complet en toile, chemise de lin, chaussures de toile
renforcées cuir. Juste son fameux revolver qui est noir. Et
l'arme va droit à la vieille pour lui vaporiser deux
quetsches dans les naseaux.

Martha interrompt là sa carrière laborieuse.

Moi qui venais de ramasser son feu, je tire sur la main
du tueur. L'imminence du danger me confère une sorte
de génie, bien plus efficace que celui de la Bastille, tout là-
haut, ce trouduc. T'as jamais vu éclater une main ? Oui, je
dis bien : éclater : vraouff ! Amenez les clichés : fruit
mûr, coquille de noix, clavicule d'officier en retraite, tout
bien, au choix. Je la vois se disloquer sous l'impact
comme en un ralenti très décomposé. Des cartilages, des
lambeaux de viande, des giclées de sang partant dans
plusieurs directions. Le pistolet de Jan Stromberg est
tombé. Fou de douleur, il n'a pas un geste pour le
ramasser. Simplement, il se jette en arrière, et tant pis
pour son beau costar immaculé. Près de lui, se tient Ali, le
maître Jacques du père Gauguin-Dessort, armé d'une
mitraillette qu'il a la prétention de braquer sur nous. La
balle que je lui téléphone ruine son funeste projet. Il
tombe à genoux et largue sa pétoire pour se comprimer la
poitrine à l'intérieur de laquelle il se passe des choses
nuisibles.

Cette question étant réglée, je me lance à la poursuite de
Stromberg. Il a été mal inspiré de se loquer en Première
communiante car sa silhouette blanche se repère fastoche.
Bien entendu, les coups de tromblon ont alerté les autres

locataires qui rappliquent en tenue nuiteuse. Ils se disent que c'est pas une crémerie banale, l'hôtel Sphinx ; les attractions y sont nombreuses et variées.

Béru tente d'endiguer leur flot grondant :

— Allons, allons, à la niche, m'ssieurs dames circulez, ya rien à voir !

Rien à voir ? Tu parles !

CHAPITRE FRAISE (1)

Un orage et ma bite.

Qu'est-ce que je déconne, moi ! Je veux dire : une rage m'habite.

Froide, malgré la température. Implacable. Suppose qu'une bête nuisible vienne (Autriche) dévorer sous tes yeux toute une garderie de marmots ; hein, suppose ?

Tu n'aurais qu'une idée en tête : la détruire. Eh bien, c'est ce qui se passe présentement avec Stromberg. Tout mon individu, corps et esprit, se ligue en vue de sa destruction. Je me dis qu'il aurait fallu l'abattre sans sommation, à ma première rencontre. Nombre de vies humaines eussent ainsi été épargnées. Leur nombre, je te laisse le soin de le calculer, moi j'ai d'autres paragraphes à fouetter en cette fin d'ouvrage épique.

Alors je cours dans la nuit où bourdonnent, comme on dit puis dans les ouvrages de dames, des chants et des danses. Les rues, malgré l'heure tardive, sont encore pleines de monde. Malgré sa pogne scrafée, le tueur reste véloce. Il est vrai qu'il ne marche pas sur les mains. Ce gus, crois-moi ou bien va te faire mettre (mais tu iras de toute manière), a subi un fameux entraînement. L'art de s'enfuir, il l'a potassé aussi fort que celui de tuer. Il a une manière à lui de s'esbigner, profitant de tout ce qui

(1) *Dédié aux mignons d'Henri III qui la ramenaient.*

s'offre : gens, ruelles, voitures, avec une prestesse diabolique.

Il cesse d'être là. Je force l'allure, explore, le réaperçois et fonce de nouveau, mais ma poursuite s'opère par saccades qui coupent le rythme et me font perdre un peu de terrain chaque fois, car lui agit sans marquer le plus léger temps mort. Alors ma rogne s'accroît davantage. Je me revois sur la plage de Copacabana, au Brésil, quand la barre m'entraînait au large. J'avais beau nager désespérément, au lieu de progresser, je reculais. En cet instant, je ressens un identique sentiment d'impuissance. Non, je ne veux pas lâcher prise. Je ne veux pas être semé.

Un couple de joyeux Noirs passent en riant dans le fracas de leurs vélomoteurs. Ne sachant plus où j'en suis, j'en ceinture un au passage, le propulse à dache, là qu'habite le fameux perruquier des zouaves, ramasse sa péteuse qui gronde au sol en tournicotant comme une folle.

Hop ! En selle ! Taïaut ! Taïaut ! Cette fois, c'est de l'exaltation que je ressens car je rattrape mon gibier.

Oui, oui, j'arrive. Me v'là.

Son sixième sens l'informe. Il se retourne, me voit débouler. Alors, il n'insiste pas et fonce à l'intérieur d'une maisonnette basse dans laquelle ça psalmodie en frappant des mains. Je l'y suis.

Figure-toi une grande pièce enfumée, chichement éclairée par une vieille ampoule crépite d'insectes morts. Une dizaine de Noirs sont là, assis au sol, sur des nattes : des hommes, des femmes, des enfants. Ils s'arrêtent de chantonner et de frapper dans leurs mains, sauf quelques tout petits qui ne pigent pas le changement d'atmosphère. Et ces gamins noirs continuant le rite créent une angoisse terrible.

Stromberg s'est placé derrière la première personne venue : une jeune fille d'ébène (cliché) belle comme la nuit (re-cliché).

Et moi je me tiens devant lui, à deux mètres. On se regarde. Il amorce un geste bref. Juste suffisant pour me permettre de voir qu'il tient un pointeau d'horloger de sa main valide.

La tension est générale, extrême, tout ça, le reste, plus encore !

C'est lui qui rompt le silence. Lui, l'horreur vivante. Lui, l'abject.

— Jetez votre revolver et disparaissez, sinon je massacre.

— Que vous touchiez à cette fille et je vous tue ! riposté-je.

Il a un ricanement. Toujours à l'abri de l'adolescente ; il esquisse un mouvement vif. Un hurlement retentit. Ce fumier, d'une rapide détente, a enfoncé le pointeau dans l'œil d'un vieux mec à cheveux blancs. Il l'en retire aussitôt.

— Jetez votre revolver, sinon je continue.

Le vieux râle, à la renverse. Son agonie déclenche des cris aussi perçants que le pointeau, aussi persans que ceux de l'Anatole comédie à qui une dame montrerait son frifri joli.

Stromberg est un fauve traqué. Ne pouvant utiliser sa main droite, il a saisi le col de la jeune fille avec ses dents pour l'obliger à se déplacer. Le voici près d'un gamin.

— Jetez ce revolver ou je tue le gosse ! Vite !

Qu'est-ce que tu ferais, toi ?

La même chose, non ?

Eh bien, moi aussi.

Je laisse tomber le revolver.

— Qu'espérez-vous ? lui fais-je avec une gravité qui m'honore de bas en haut. Vous sentez bien que vous ne pourrez plus aller encore loin dans la vie en massacrant vos semblables, comme on fauche de la luzerne.

— Poussez l'arme vers moi du bout du pied et fichez le camp ; vous avez de la chance que je ne la tienne pas en main !

De la chance ! Je pige sa manœuvre. Pour ramasser le feu, il devra se désunir un bref instant, et il craint que je le

mette à profit. Alors il veut m'éloigner par sécurité, car
c'est un vrai professionnel, je te le répète.

— Allons, vite ! s'emporte Stromberg.

Ce qui se développe alors échappe à mon entendement.
Les réflexes ne sont pas racontables, puisqu'ils sont des
réflexes. Analysables postérieurement, à la rigueur.

Attends, que vient-il de se passer ? Laisse que je
décompose l'affaire, mon mec. Le revolver gît sur le
plancher, très bien, merci. A un mètre virgule quéqu'chose du tueur. Je fais un pas en avant pour shooter
léger dans sa crosse. Ce faisant, je me trouve à quatre-
vingt-trois centimètres de la jeune fille qui lui sert de
paravent et qu'il a lâchée pour pouvoir me causer
puisqu'il la tenait avec les dents. J'avance mon pied droit
en direction de l'arme. Stromberg ne me perd pas de l'œil.
Un œil de faucon ou de vrai lynx. Acéré, comme on dit
dans le tout à trois balles de la littérature. Son pointeau
sanglant se trouve à la verticale de la tête frisée du
bambin. Les assistants, fascinés, fous de trouille, se sont
interrompus de glapir pour retenir leur souffle. Et moi,
une force inconnue m'empare. Tout s'opère à mon insu.
Qui a dit insu des pieds, dans la classe ? Quelle pauvreté !

Je repousse le revolver. Stromberg ne peut s'empêcher
de suivre sa trajectoire. Avant que celle-ci se termine,
j'opère une triple action, qu'on va tenter d'y voir clair
dedans, comme exprime le Gros. Mon panard shooteur
continue de s'élever et termine dans le ventre tout rond du
gamin, l'expédiant à la renverse, ma main gauche a saisi la
fille au cou pour la propulser de côté : dont acte. Quant à
ma tête de Rodin, elle est partie franc dans la margoule à
Jan Stromberg. But ! Ça craque. Le mec fléchit. Vachard
en plein, il tente de me planter avec son putain de
pointeau et parvient à me le filer sous le bras, me viandant
au niveau de l'aisselle. Entraînés par mon élan, nous
tombons sur le vieillard mort. Machin est étourdi, mais
pour ce qui est de récupérer, pardon ! Et pour le karaté,
merci bien ! Je suis un enfant de chœur, comparé. Il me

place un chignoleur à trille, plus un gournazeau bancal et m'achève d'un clodomir en cru carabiné.

Mon corps s'insenbilise. Je me sens des fourmis de partout. Coup raté ! Tout est fini. L'honneur dans l'oigne ! Bye bye, maman.

Mais que tu ne sais pas ? Quelqu'un me file furtivement un truc métallique dans la main droite. Je saurai dans un instant que c'est l'un des vieux Noirs qui a ramassé le revolver et me l'a fourré en pogne.

A cet instant, Stromberg qui était à califourchon sur moi et qui n'a pas vu le gag se redresse, brandissant le pointeau au-dessus de mon visage. Holà, holà, là ! Un physique de théâtre tel que le mien ! Non, mais il délire, ce nœud volant. Je ramène le feu vitement vers son flanc et presse la détente (et non pas la gâchette, comme ils écrivent la plupart des fois, ces ignares. C'est la détente qui agit sur la gâchette).

La praline lui flashe un poumon, vrrran ! Il soubresaute, ouvre grand la gueule et les yeux. Incrédule, tiens donc ! J'en profite pour remonter mon bras, et placer l'orifice du canon au niveau de ses yeux exorbités.

— Je t'avais prévenu que ça ne pouvait pas aller encore loin, murmuré-je.

Et mon index enfonce le petit bout d'acier. La crosse devient chaude. J'ignore combien de valdas sortent de ce feu. Assez, toujours est-il, pour lui mettre la frite en compote. Il s'abat, non pas comme un chêne qu'on. Mais comme un loup-cervier cerné à la corne d'un bois, tu sais ? Oubliant grand-père défunté, les copains noirs me chantent des louanges impérissables en se grattouillant le trou du luth.

*
* *

No Béru !

Par contre, de la populace, et des poulets avec leurs voitures sommées de phares gyroscopiques. Quel brouhaha, du tohu-bohu, bordel, chienlit ! Je reste à distance.

Non : pas de Gravos, à moins qu'on ne l'ait déjà embastillé ? On dirait que toute l'agglomération est laguche, au grand et en petit complet. Vêtements indigènes en majorité : boubous de couleurs, dont certains brodés. Pieds nus ou babouchés. La foule, comme toutes les foules, sent la ménagerie. Il suffit qu'ils soient en groupe pour que les hommes démontrent leur appartenance au règne animal. Ça jacasse ferme.

Je me tiens dans l'ombre tiède de la place, sous les palmiers cosmiques à confluence épisodique. Fin de Jan Stromberg, le sanglant ! Cette rumeur de population en effervescence me paraît célébrer l'événement. Un individu de grande malfaisance n'est plus.

Mais où est donc Bérurier ?

Il manque à ma sauvage allégresse. « Voyons, mon petit gars, me dis-je familièrement, qu'aurais-tu fait à sa place ? Il venait d'échapper à un nouveau massacre de Stromberg, je coursais ce dernier tandis qu'il contenait de son mieux la survenance des clients de l'hôtel Sphinx. Et après ? »

Après, il a dû songer à me prêter tu sais quoi ? Oui : main forte. S'est élancé sur mes, tu sais quoi ? Oui : talons. Ne m'a pas trouvé. Alors, s'est dit qu'il fallait battre le ce que tu sais pendant qu'il est comme tu sais et il aura filé chez pépé Gauguin-Dessort, l'illustre peintre en mièvreries figuratives, manière d'en savoir un peu plus sur tout ça et le reste.

Conclusion : retraverse la place, vaillant Cent-ans-de tonneau et cours rescousser si besoin haie afin de porter haut les couleurs de la France.

Toujours prendre l'adversaire au dépourvu dans la mesure du possible. Aussi ne sonné-je pas à la porte, mais l'ouvré-je au moyen de mon éternel Sésame.

Tout reposait dans Boz et dans Jérimadet...

La cabane est silencieuse. On ne perçoit que le grignotement d'une horloge de prix, quelque part. Le

moins qu'on puisse dire, est que le peintre se soucie peu
de la mission du tueur et de son maître d'hôtel au Sphinx.

Le parfum des nanas flotte dans l'air à la ronde. J'hésite
dans la pénombre. Le clerc de Maître Lune éclaire
l'entrée, en provenance de la baie du salon. Le moment
n'est-il pas venu de poser mes godasses ? Je les abandonne
près de l'entrée, la pointe tournée vers la lourde, prêtes à
être enfilées, ces salopes, en cas de départ précipité.

En chaussettes de cérémonie, je gagne l'escadrin
conduisant *to the first floor,* feu en main, malgré qu'il soit
vide, car j'ai balancé tout le bonheur dans la poire à
Stromberg ; mais enfin, un revolver vide intimide davantage quelqu'un qu'un pot de confiture plein, tu vas te
démerder d'en convenir avant que je me fâche. Ça y est ?
Merci.

J'ai déjà mon premier pied sur la première marche, car
à tout seigneur tout honneur, lorsqu'il me semble percevoir un bruit étrange venu d'ailleurs, et ce n'est pas du
premier. Me ravisant, j'abandonne l'escalier pour me
rendre vers les communs, là que se trouvent l'office, la
cuistance, la buanderie et autres coulisses de l'emploi. Je
tends l'oreille. Le silence seul me répond, comme l'écri-
rait le romancier que je te causais une centaine de pages
plus avant.

Alors bibi, surprenant dans ses réactions thermidorien-
nes, au lieu de remuer tout le navire, je retire un tabouret
en formica véritable de sous la table et y dépose soixante et
quelques kilogrammes d'individu en ordre de marche.
J'attends... Quoi ? Tout ! J'écoute... Quoi ? Rien ! Drôlement passionnant, n'empêche. Le silence, le clair-obscur
de Werther... Des odeurs safranées. Un laps de temps
important passe. Et une sensation, confuse au début,
s'affirme en moi. Quelque chose d'imperceptible que mes
antennes ont néanmoins perçu. Je vais te dire quoi t'est-
ce. Tu sais, dans Paname, t'es là, assis dans un square, au
soleil, à rêvasser. Quelques piafs mélodisent dans les
platanes, et puis un frémissement profond a lieu sous tes
pinceaux. Tu dérêvasses en te demandant ce dont. Et tu te

dis : ah, oui : le métro. Ici, dans la cuistance, c'est kif-kif bourricot.

J'éprouve cette notion de vie souterraine. Et vite je me file à plat ventre sur le sol, vu qu'il n'y a pas encore le métro à Gagnoa et que je veux absolument piger la nature de ce frémissement. Me faudrait un stéthoscope. J'entends malgré tout un bourdonnement.

Pas d'erreur : des gens existent sous la chape de ciment.

Je passe dans le couloir pour écouter encore. La lointaine rumeur de vie continue. Et moi, afin de délimiter le territoire seçret, de poursuivre cette étrange auscultation du sol, comme Gulliver ausculterait un géant. L'opération me conduit dans le merveilleux jardin tropical. Les dalles des allées, quand on y colle l'oreille, laissent passer l'étrange respiration souterraine. J'accède à une construction octogonale, aux cloisons de verre, sorte de jardin d'été, contenant un bel échantillonnage de la flore du Bassin Parisien.

J'y pénètre. Des appareils y ronronnent, pour créer les conditions climatiques nécessaires à l'épanouissement des plantes.

« Voilà, pensé-je, le cœur irriguant le petit univers souterrain. Tout au moins, sa voie d'accès. Cherche, Médor, cherche ! »

Me faut pas longtemps pour trouver. Au centre du jardin d'hiver d'été, il y a une jardinière carrée d'un mètre vingt-trois de côté. J'en examine la base. Constate qu'elle repose sur des roulettes engagées dans des gorges de ciment. Je m'arc-boute pour pousser le récipient de fibrociment amadoué, et manque m'affaler, car la résistance est beaucoup plus faible que ma pression.

L'entrée est là.

Un escalier de fer comportant une dizaine de degrés me conduit à un sas de béton dans lequel prend une porte. Elle n'est pas fermée.

*
* *

Lalère !

Ce que vous ne voyez pas à l'étalage, demandez-le à l'intérieur.

Pour tout te révéler, c'est encore plus beau au sous-sol qu'au reste-chaussée.

Les tapis sont tellement onctueux qu'il est inutile de se déplacer en chaussettes pour amortir le bruit de ses pas. Des chefs-d'œuvre d'ivoire garnissent les vitrines du couloir principal, ainsi que des choses en or ciselé.

Un bruit de conversation m'induit vers une pièce sur la droite. La porte à deux battants en est ouverte (avec moi, cela représente trois battants). J'écoute avant d'inscrire ma personne dans l'encadrement. Dur, de refréner ma pugnacité. Mais plus prudent.

Voici la scène radiophonique dans son intégralité :

VOIX d'HOMME : J'ai l'impression qu'il (ou ils) tarde (nt) beaucoup ! J'ai envie d'aller aux nouvelles.

VOIX de FEMME : Ne soyez pas inquiet pour Jan, rien de très fâcheux ne peut lui arriver.

V d'H : Quelle confiance !

V de F : Oui, mais quel homme !

V d'H : Amoureuse ?

V de F : Asservie, serait plus juste.

V d'H : Il a de la chance !

V de F : J'en ai également.

V d'H : Mes compliments. (Un temps.) Vous pensez repartir cette nuit ?

V de F : Le plus vite sera le mieux.

V d'H : Et mon pensionnaire ?

V de F : On va s'arranger pour l'emmener. L'affaire est maintenant trop brûlante pour qu'on puisse prolonger cet état de choses.

(Un temps assez long. Le Commissaire San-Antonio s'apprête à intervenir, mais la voix d'homme reprend :)

V d'H : Vous conservez le neutraliseur ?

V de F : Et comment ! Il nous a coûté assez de maux. Vous savez que les Russes ont failli m'expédier à Moscou ! Imaginez alors ce qu'aurait été mon sort. (Rire de femme.) Le plus drôle c'est qu'ils en ont fait venir un autre à Londres pour me faire dire où se trouvait le premier.

V d'H (curieuse) : Qu'éprouve-t-on ?

V de F : Rien, justement. A peine conserve-t-on la chose en mémoire.

V d'H : Aucune douleur ?

V de F : Pas la moindre. Peut-être un picotement aux yeux, comme lorsqu'on tombe de sommeil. D'ailleurs, vous avez vu fonctionner l'appareil sur votre copain, hein ?

V d'H : Stromberg n'a pas voulu que j'assiste à la séance. (*Un temps*) Il n'a confiance en personne, on dirait.

V de F (*Ton amusé, révélateur d'admiration amoureuse.*) : Il est prudent jusqu'à la maniaquerie, ce qui ne l'empêche pas d'être téméraire au-delà du possible.

(*Encore un long temps de silence. Bruit de liquide bu.*)

V d'H : Ecoutez, vous avez beau dire, moi je commence à trouver son absence alarmante. Ce flic français n'était peut-être pas aussi mal en point que ne l'affirmait la grosse Martha.

V de F : De toute façon, il n'est pas de taille à inquiéter sérieusement Jan ; cela dit, téléphonez à l'hôtel si bon vous semble.

V d'H : Je me méfie du téléphone, je préfère aller voir sur place.

(*Bruit de pas.*)

Quand le gusman sort de la pièce, je suis prêt à l'accueillir, le canon de mon feu bien assuré dans ma paume, la crosse présentée comme la tête de linotte contondante d'un marteau.

Sitôt qu'il surgit, je le frappe au milieu du front, sans prendre le temps de le saluer près à lavement (1). Il morfle le coup de buis avec la sidérance d'un bovin et

(1) *Expression qu'emploie Béru au lieu de préalablement.*

choit de lui comme un cache-pot d'une console à Asnam
(ex-Orléansville).

C'est seulement lorsqu'il est croquevillé sur le sol que je
l'examine. Il s'agit d'un gars d'une rantaine d'années,
mince, chauve précocement, avec une couronne de cheveux blonds, plus une vingtaine soigneusement étalés sur
le dessus de la pagode. Son regard chaviré est celui d'un
hareng frappé par le saur quand il vient de sortir de
saumure.

— Vous êtes tombé, Marcellin ? demande la voix de
femme dont j'ai omis de te signaler qu'elle était imprégnée
d'accent britannique, mais qu'est-ce que t'en as à foutre,
Seigneur !

Je happe ma victime par son col de veste et la traîne
dans la pièce, tout en conservant mon revolver en main.

Curieux salon, très bas de plafond, meublé seulement
de canapés, d'un bar roulant et d'un électrophone.
Arabella Stone, en robe de chambre, comme une pomme
de terre dans son papier d'étain, est lovée sur des
coussins, belle et paresseuse. Elle a tout à fait récupéré.
Elle sursaute en m'apercevant, mettant un lapsus de
temps à piger la situasse. L'homme inanimé, et qui n'a
même plus d'âme pour captiver son âme et la forcer
d'aimer, l'impressionne. Mon feu idem. Et surtout ma
frite farouche : le sale air de l'happeur.

Elle récupère un brin de rien pour murmurer

— Et Jan Stromberg ?

C'est pas de l'amour, ça ?

Louis XVI prenant des nouvelles de Samson !

Elle me voit sur mes patounes, moi que son jules est
parti trucider, alors elle me demande comment il va,
inquiète comme la femme de Terre-Neuvas qui ne voit
pas débarquer son bonhomme de la Marie-Couch'touhala.

— Il fut ! lui dis-je.

Brève oraison funèbre, mais combien éloquente !

Elle fixe sur ma pomme un regard incrédule.

— Vous l'avez ?

— Rendu mort, oui miss. Et comme il s'apprêtait à me

faire le coup du père François, je n'éprouve pas le moindre remords.

Oh ! quelle erreur est la mienne de lui balancer la vérité toute crue ! En pareil cas, une femme amoureuse est capable de tout.

Tu vas en avoir la preuve séance tenante.

Hagarde elle quitte son canapé en chancelant comme dans un dernier acte de Shakespeare. Je la regarde marcher dans ma direction, vaguement gêné je l'avoue. Veut-elle me sauter au visage, toutes griffes *out* ? Elle paraît trop abattue pour pouvoir nourrir de belliqueux desseins. Non : elle s'agenouille près de l'homme K.O. et, d'un geste infiniment lent, glisse la main sous le pan de son veston. Quoi ? Bon Dieu, je pige seulement ce qu'elle manigance : le feu du gonzier. Je me jette sur elle. Trop tard : elle a déjà cueilli l'arme. Je passe mon bras sous son menton.

— Lâchez ça, la môme, sinon les malheurs vont continuer de pleuvoir !

Une détonation me répond. Je sens une vache secousse par tout mon être admirable. Ai-je morflé ? Que non point : car c'est sur elle qu'elle a balancé le potage. Dans son pauvre cœur dévasté. Pour le finir. Ce cœur qui n'appartenait qu'à Jan Stromberg *the killer*. Ploff ! En plein dans la cible ! Bel exemple de HI FI, mes amis. Femme de gangster, certes, mais édifiante à force de fanatique attachement et... Non, ça suffit commak, si je tartine trop je serai trop long et mon nez diteur va faire la gueule.

Or, donc, me voici en compagnie de deux personnes inconscientes, dont l'une à titre définitif. Sans perdre de temps, je ligote le chauve à poils ras avec les moyens du bord, comme chaque fois dans mes polars à la noix de cajou, que t'auras beau chercher parmi les douze mille que j'aurai écrits, pas un qui ne comporte un mec ligoté avec : des cordons de rideau, du fil électrique, des bretelles, des ceintures, du câble de vélo, des liens conjugaux, des attaches sentimentales, du fil à retordre, de la corde à piano, des courroies de transmission, des brides sur le cou et des bandes de cons. Mais chacun sa méthode, et pas tant de discours, comme le clamait Descartes avant d'être biseauté.

Ayant les mains libres et la poitrine haletante, je me mets à la recherche du fameux prisonnier évoqué naguère par Arabella et le prénommé Marcellin. Le logement souterrain n'est pas si vaste qu'il me faille chercher longtemps. Outre le salon que je viens de quitter, il comprend deux autres pièces aménagées en chambres. Dans la première, il n'y a personne. Mais la deuxième est occupée par un personnage de marque, ou du moins qui le fut temporairement. Sa Majesté, en personne ! Pas la mienne : Béru Premier, l'autre : Bok Dernier. Affalée sur un lit profond comme le tombeau de Léon Napo, elle est inconsciente, des bouteilles vides l'entourent et jonchent le plancher. Dans son sommeil, l'ex-grand tome appelle ses cousins de France qui, vu la distance, n'entendent pas.

Et comment Oreste l'entendrait-il, le bon Bok (dépanaché) avec le boucan qui se fait dans le mur ?

Des coups d'une violence pire qu'inouïe : inouise, font vibrer la pièce. De toute évidence, on s'en prend au mur de communication. Vitos, je vais récupérer l'arme dont s'est servie Arabella pour mettre fin à ses gracieux jours. Note que je pourrais m'esbigner : mais non, c'est pas le gendre de la Malmaison, comme dit le Mammouth.

Armé, attentif, j'attends. Les coups redoublent de violence. Tout vibre, tout tremble. Le fracas va briochant. Et puis enfin, vraaoumpflll ! deux bons mètres carrés de mur se déguisent en un demi-mètre cube de gravats. Dans la poussière de bombardement qui s'élève apparaît un homme. Un gros, un vrai ! Bérurier dans toute sa gloire, pioche en main, pareil à un héros de Germinal, la sueur au front, le faciès saupoudré comme un loukoum (ça fait deux fois dans ce book de chiasse que j'allusionne aux loukoums, raha de leur prénom, mais je compisse tes éventuelles remarques).

— Bon gu, d'bois, j'sus t'arrivé à bon porc, à force d'à

force, éructe l'Etrusque en époussetant ses frusques à gestes brusques. L'vieux a disparu, mais les gonzesses m'ont dise que s'lon elles, y avait un souterrain dans l'jardin car é z-entendaient du bruit.

— Comment te l'auraient-elles dit, aucune ne parle français ?

— Par gestes, mec ! Par gestes. Y a pas qu'avec des fleurs qu'on peut causer, y reste aussi la bite et les doigts, plus les espressions. Quand t'est-ce j'ai eu pigé, j'm'ai dégauchi un' pioche et hardi p'tit !

Il tressaille :

— Mais, tézigue, comment t'es arrivé jusque-z-à-là ?

Je branle ce que tu sais et déclare :

— Oh ! moi, Gros, je suis moins courageux que toi, quand je vais en visite, je passe par la porte !

CHAPITRE SUPPLÉMENTAIRE (1)

Le bureau du Vieux.

Matinée finement ensoleillée. Sa calvitie a des teintes majestueuses. Tu croirais du Sisley, tellement que ça pointille serré.

Nous sommes tous réunis : Béru, Pinaud, Lady Meckouihl, Samantha, sans oublier moi-même.

Le Dabe n'a de z'œils que pour la jolie Britannouille. Il la couve du regard, la gobe de la glotte, trémousse, trémouille, fait des petits solos de mandoline avec le bout de la langue, tout ça, tout bien... Vieux marcheur, toujours le slip en goguette.

Il tripougne l'appareil noir que j'ai triomphalement déposé sur son bureau. Il redonde :

— Bravo à tous, belle victoire ! Alors, la genèse de tout cela, mon vieux lapin ?

Le vieux lapin étant moi-même, fils unique et de ce fait préféré de M'man Félicie, je remue le nose pour faire davantage ton rabbit à un goût.

— Eh bien, la genèse, monsieur le directeur, c'était l'ex-empereur. Le brave homme, avant son abdication à coups de pompes occultes, a planqué une quantité folle de diamants dans un coffre suisse, tout le monde s'en doutait plus ou moins. Il y en a pour des milliards d'anciens francs.

_____

(1) *Que je te dédie car s'il n'existait pas, tu jugerais l'histoire incomplète.*

« Des gens plus astucieux que d'autres ont décidé de mettre la main sur le fabuleux magot. Mais un coffre suisse ne s'ouvre pas comme une tirelire japonaise. Dans le cas présent, Sa Majesté Scotch Ier n'a délivré aucune procuration, si bien qu'elle seule peut y accéder. Donc, pour pouvoir s'emparer des cailloux, la condition première est que le ci-devant (assis derrière) imperator soit présent dans la chambre forte de la Banque Helvétique. La bande décida donc, avant tout, de s'assurer de sa personne, mais avec un maximum de discrétion, sans que la chose soulève de vagues. Un sien cousin qui lui ressemble comme une blennorragie ressemble à une autre blennorragie, fut pressenti pour entrer dans le coup et accepta de prendre la place de Bok dans sa résidence de Sassédutrou.

Le Vieux m'écoute distraitement, faisant des « Voilà, voilà » entre mes fins de paragraphe pour donner à penser qu'il m'écoute, mais c'est le galbe des jambes de Samantha qu'il suit avec le plus d'attention. Un tricotin démesuré paraît dans ses prunelles polaires. Béru somnole, une main passée sous la jupe de Lady Meckouihl, enfin remise de ses ébats. Pinaud, quant à lui, se masse anxieusement le ventre. Des gargouillis menaçants, dont l'écho s'amplifie, annoncent qu'il a mal assimilé le foie gras d'Air Afrique, et que d'autres déculottades express se préparent.

Le Dabe tripote avec fièvre l'appareil qui, en fait, est à l'origine de cette époustouflante affaire, et que j'ai récupéré dans l'appartement souterrain du maître de l'Ecole Antinomiste.

Comme Achille est de plus en plus perché sur sa bite, je me permets de l'interpeller :

— Vous me suivez, monsieur le directeur ?

Il regarde sa montre.

— Seize heures dix-sept, San-Antonio. Je crois qu'on tient le beau temps, hé ?

Il me court, ce vieux glandu ! Se crever l'oigne pour un pareil apôtre, fume, à la fin ! On lui vit des péripéties de premières classe pendant qu'il se masse la rotonde à son burlingue, et quand on vient au rapport avec une historiette qui flanquerait la diarrhée verte à Ponson du Terrail soi-même, tout ce qu'il fait, c'est de se consacrer au prose d'une gonzesse !

— Peut-être préféreriez-vous que je vous racontasse la suite plus tard, seul à seul ?

Il renfrogne :

— Quelle idée ! Pas du tout, nous sommes entre amis, tous les protagonistes réunis, les conditions ne sauraient être meilleures.

— Où en étais-je ? perfidé-je, manière de tester son degré de distraction.

— Eh bien, heu... là où vous en êtes resté. Poursuivez, mon vieux, ne vous interrompez pas toujours, c'est agaçant, un chef a besoin d'être informé clairement. Vous m'avez habitué à mieux que cela. J'aime vos phrases courtes. La phrase courte, c'est la clé de voûte de l'éloquence. Aujourd'hui, vous vous égarez dans mille et une digressions. Pas convaincant, cela. Retrouvez-moi votre bonne vieille concision habituelle. D'accord ?

Si je m'écoutais, je choperais son encrier de cristal et le lui renverserais sur la bouille à ce croquant de mes deux ou trois.

— D'ac, réponds-je. Sosie remplace Bok résidence Sassédutrou. Stop. Bok emmené appartement souterrain de vieux maboul de peintre. Stop. Ledit peintre : ancien bagnard richissime fait partie de la bande. Stop. Un certain Marcellin, appartenant également à la bande tente circonvenir ex-empereur. Stop. Mais Bok intraitable. Stop.

« Bande se tourne alors vers Stromberg, crapule internationale. Stop. Ce dernier, amant d'Arabella Stone qui lui sert d'assistante. Stop. Les amants maudits ayant antennes tous milieux trouvent solution. Stop. Russes possèdent entre autres gadgets un petit appareil nommé neutraliseur. Stop. Celui-là même posé sur votre bureau. Stop. Ledit annihile toute volonté chez un individu et le met à merci. Stop. Stromberg était décidé à réduire la volonté de Bok à son seul profit. Stop. »

Je reprends souffle. Le Vieux opine.

— Eh bien voilà. On suit, San-Antonio, mon vieux lapin. On suit lorsque vous parlez clairement, que dis-je, on suit ! On précède. Votre Stromberg et sa dulcinée ont fauché l'un des appareils aux Soviétiques, à Paris, je gage ? Oui ! Je le savais ! Je sais toujours tout. Mais les Russes en constatant le vol n'ont pas tardé à réagir et se sont lancés sur la piste des voleurs. Ils ont failli avoir Stromberg à Victoria Station, l'ont raté, se sont alors rabattus sur sa donzelle qu'ils ont arrêtée. N'est-ce pas ? Ha ! Ha ! Vous voyez bien que je sais tout, mon pauvre petit. Faire parler la fille n'a été qu'une formalité, car ils disposent d'autres appareils, hein ? Ben voyons, San-Antonio, ben voyons ! Vous auriez pu trouver cela tout seul ! Par moments ma parole, vous manquez de jugeote ! Pendant ce temps, Stromberg est parti pour l'Afrique, bien que les Soviétiques et vous-même soyez sur sa trace. Vous m'écoutez, San-Antonio ? Il m'écoute, vous croyez, mademoiselle Samantha ? Je n'ai pas l'impression. L'on dirait qu'il baye aux corneilles. Un peu d'attention que diantre, mon garçon. Vous croyez que je n'ai que cela à faire : vous tenir au courant ? Mademoiselle Samantha, j'espère que vous me ferez le grand plaisir de dîner avec moi ce soir ? Quoi ? Vous êtes prise ? Quel dommage ! Demain alors ? Non ! Vous rentrez déjà à Londres ! Seigneur, vous me navrez de la tête aux pieds. Qu'étais-je en train de raconter à ce grand benêt d'Antonio ?

« Vraiment, mademoiselle Samantha, vous ne pouvez pas... Non ? Ne me dites pas que je ne suis pas votre genre ! Oh ! la vilaine petite moue ! Savez-vous que les hommes d'âge jouissent (si je puis employer ce mot) d'une expérience qui... Bon, enfin... Mais je n'ai pas dit mon dernier mot, ma chère ravissante, attendez-vous à un assaut en règle. A un siège ! La Rochelle ! Où en étais-je de mes explications, San-Antonio ? »

— Vous disiez que Stromberg est parti pour l'Afrique...

— Ah! voilà! Ah! mais oui! L'Afrique... Les autres de la bande, se méfiant de lui, ne lui ont pas dit que Bok avait été déplacé en secret. Ce qui les intéressait, c'était uniquement l'appareil. Le tueur leur flanquait plutôt la frousse, vous pensez! Et l'autre copain s'ingénie à se rendre à Sassédutrou. Là, il contacte le cousin de l'ex-empereur et découvre la supercherie. Avec ou sans l'appareil, il lui fait dire où est Bok. Ensuite...

Il fait avec la bouche ce bruit si réjouissant que Bérurier réussit avec l'anus. Je m'hâte d'enchaîner.

— Ensuite Gagnoa. Stop. Stromberg débarque chez Gauguin-Dessort. Nous après lui. Stop. Le Peintre en faction sur la place, surveillant de ce point névralgique les arrivées intempestives. Stop. Les Russes rappliquent avec retard ayant enquêté comme je l'ai fait et suivi mon itinéraire. Stop. Ont amené la fille pour appâter Stromberg qu'ils veulent retrouver coûte que coûte. Stop.

Et je lui narre ce que tu sais déjà alors, dis, on va pas se prendre les pinceaux dans les trous du tapis à récapituler cette chierie, non? Je lui explique qu'on a fait au mieux: livré Gauguin et Marcellin à la police après avoir ramené Bok à Sassédutrou, pour que tout soit bien qui finisse bien. Qu'on lui foute un peu la paix à ce gastronome qui a tant aimé les hommes (surtout lorsqu'ils étaient tendres).

— Et ces fichus diamants, San-Antonio?

— L'Impérissable Suisse veille sur eux.

— Vous auriez tout de même pu...

— J'aurais pu quoi, monsieur le directeur?

— Non, rien. C'est bien. C'est normal... Dites-moi, quel est cet immense Noir qui vous attend sur une banquette de l'antichambre?

— M. Gracieux, un aimable mercenaire ivoirien que Lady Meckouihl a engagé comme factotum.

Pinaud se lève, verdâtre:

— Monsieur le directeur, si vous vouliez bien me

permettre de me retirer, je... J'aï commis la sottise de manger du foie gras dans l'avion et je.. Oh ! Oh !

Un affreux bruit retentit et Pinuche gagne la porte en marchant comme une pince à linge.

— Bon, eh bien j'espère que vous avez tout bien compris, San-Antonio, que mes explications étaient suffisamment détaillées. Pour m'en convaincre, vous serez gentil de m'écrire tout cela noir sur blanc, ainsi pourrai-je me rendre compte..

Je me lève.

— Comptez sur moi, monsieur le directeur.

La chère lady m'imite, ainsi que Béru et Samantha.

Le Vieux se précipite, brandissant le révélateur.

— Mademoiselle, puisque vous ne pouvez, ou ne voulez pas, accepter mes invitations, vous ne refuserez pas de rester un instant encore dans mon bureau, j'aimerais étudier avec vous le maniement de ce gadget. Si, si, vous avez bien le droit de voir satisfaite une légitime curiosité. D'accord ? Parfait, parfait ! Ce sera l'affaire d'une demi-heure à peine. Huissier ! Raccompagnez Lady Meckouihl jusqu'à son carrosse. Débranchez mon téléphone. Dites que l'on ne me dérange sous aucun prétexte : je vais procéder à une expérience scientifique.

FIN

Achevé d'imprimer le 20 janvier 1981
sur les presses de l'Imprimerie Bussière
à Saint-Amand (Cher)

— N° d'impression : 2572. —
Dépôt légal : 1er trimestre 1981.
Imprimé en France

PUBLICATION MENSUELLE